교과서 GO! 사고력 GO!

GO! 매쓰

Jump
유형 사고력

수학 1-2

GO! 매쓰 Jump

차례

GO! 매쓰 Jump

구성과 특징

1 핵심 개념 정리

단원별 핵심 개념을 간결하게 정리하여
한눈에 이해할 수 있습니다.

2 대표 유형 익히기

단원별 사고력 문제의 대표 유형을 뽑
아 수록하였습니다. 단계에 따라 문제를
해결하면 사고력 문제도 스스로 해결할
수 있습니다.

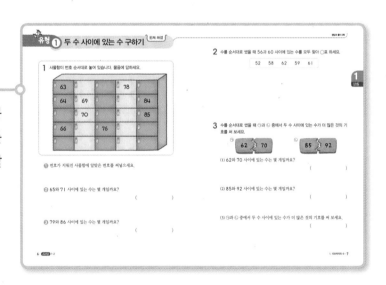

3 사고력 종합평가

한 단원을 학습한 후 종합평가를 통하
여 단원에 해당하는 사고력 문제를 잘
이해하였는지 평가할 수 있습니다.

1 100까지의 수

❀ 60, 70, 80, 90 알아보기

- 10개씩 묶음 6개 ⇨ 60 (육십, 예순)
- 10개씩 묶음 7개 ⇨ 70 (칠십, 일흔)
- 10개씩 묶음 8개 ⇨ 80 (팔십, 여든)
- 10개씩 묶음 9개 ⇨ 90 (구십, 아흔)

❀ 99까지의 수 알아보기

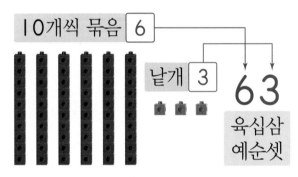

10개씩 묶음 6
낱개 3
63
육십삼
예순셋

❀ 1만큼 더 큰 수와 1만큼 더 작은 수

수를 순서대로 썼을 때 바로 앞에 있는 수
가 1만큼 더 작은 수이고 바로 뒤에 있는
수가 1만큼 더 큰 수입니다.

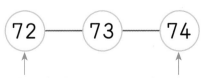

72 — 73 — 74

73보다 1만큼 더 작은 수   73보다 1만큼 더 큰 수

❀ 100 알아보기

99보다 1만큼 더 큰 수를 100이라고
합니다. 100은 백이라고 읽습니다.

❀ 두 수의 크기 비교

- 69와 72 비교하기

68 — 69 — 70 — 71 — 72

"69는 72보다 작습니다."를 69<72,
"72는 69보다 큽니다."를 72>69와
같이 씁니다.

10개씩 묶음의 수가 클수록 큰 수
이고 10개씩 묶음의 수가 같으면
낱개의 수가 클수록 큰 수입니다.

53<62   87>85
5<6   7>5

❀ 짝수와 홀수 알아보기

- 짝수: 둘씩 짝을 지을 수 있는 수
  예 2, 4, 6, 8, 10……
- 홀수: 둘씩 짝을 지을 수 없는 수
  예 1, 3, 5, 7, 9……

유형 ① 두 수 사이에 있는 수 구하기

문제 해결

1 사물함이 번호 순서대로 놓여 있습니다. 물음에 답하세요.

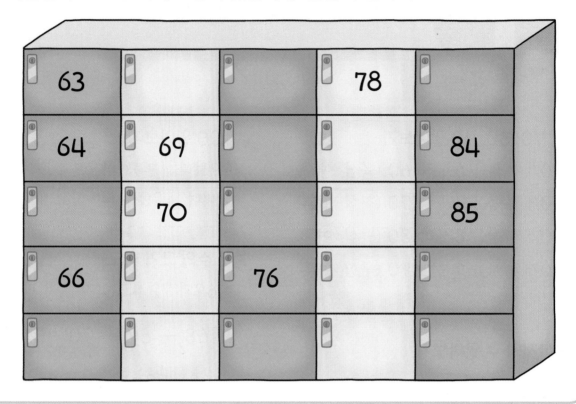

❶ 번호가 지워진 사물함에 알맞은 번호를 써넣으세요.

❷ 65와 71 사이에 있는 수는 몇 개일까요?

(   )

❸ 79와 86 사이에 있는 수는 몇 개일까요?

(   )

2 수를 순서대로 썼을 때 56과 60 사이에 있는 수를 모두 찾아 ◯표 하세요.

| 52 | 58 | 62 | 59 | 61 |

3 수를 순서대로 썼을 때 ㉠과 ㉡ 중에서 두 수 사이에 있는 수가 더 많은 것의 기호를 써 보세요.

㉠    ㉡

(1) 62와 70 사이에 있는 수는 몇 개일까요?

(   )

(2) 85와 92 사이에 있는 수는 몇 개일까요?

(   )

(3) ㉠과 ㉡ 중에서 두 수 사이에 있는 수가 더 많은 것의 기호를 써 보세요.

(   )

몇십몇 만들기

1 3장의 수 카드 중에서 2장을 뽑아 만들 수 있는 몇십몇을 모두 구해 보세요.

❶ 빈 곳에 알맞은 수를 써넣으세요.

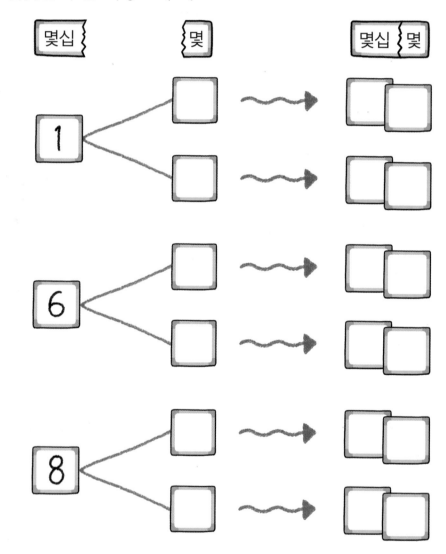

❷ 만들 수 있는 몇십몇을 모두 써 보세요.

(   )

2 3장의 수 카드 중에서 2장을 뽑아 몇십몇을 만들려고 합니다. 만들 수 있는 수를 모두 써 보세요.

( )

1
단원

3 3장의 수 카드 중에서 2장을 뽑아 몇십 또는 몇십몇을 만들려고 합니다. 만들 수 있는 수를 모두 써 보세요.

( )

4 3장의 수 카드 중에서 2장을 뽑아 몇십몇을 만들려고 합니다. 만들 수 있는 수 중에서 홀수는 모두 몇 개인지 구해 보세요.

( )

짝수와 홀수

1 도로명 주소의 규칙을 알아보고 빈 곳에 알맞은 수를 써넣으세요.

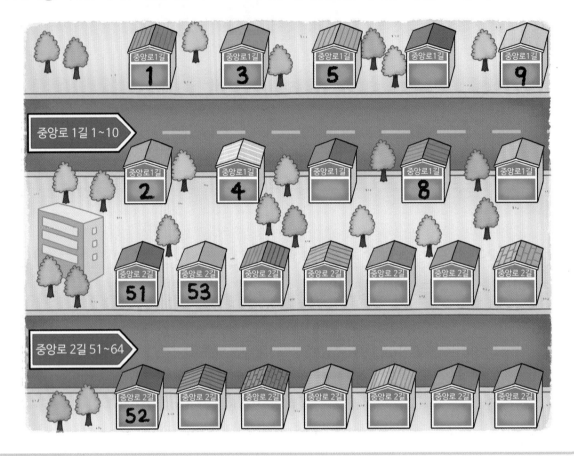

① **중앙로 1길 1~10** 에는 1부터 10까지의 수가 쓰여져 있는데
길의 위쪽에는 (짝수, 홀수)를, 아래쪽에는 (짝수, 홀수)를 번갈아 가며
차례대로 쓰는 규칙입니다.

② **중앙로 2길 51~64** 에는 ☐ 부터 ☐ 까지의 수가 쓰여지고
길의 위쪽에는 (짝수, 홀수)를, 아래쪽에는 (짝수, 홀수)를 번갈아 가며
차례대로 쓰는 규칙입니다.

③ 빈 곳에 알맞은 수를 써넣으세요.

2 순서를 생각하여 짝수와 홀수를 써넣으세요.

(1) 짝수

(2) 홀수

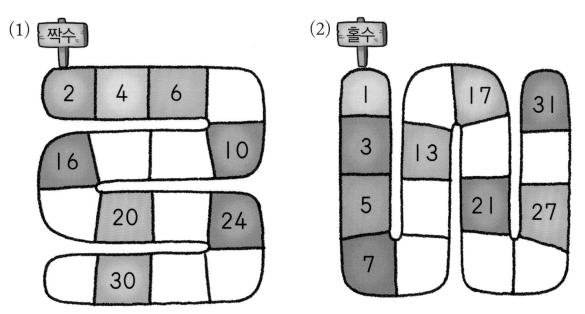

3 주어진 수에서 짝수와 홀수를 찾아 나무를 꾸며 보세요.

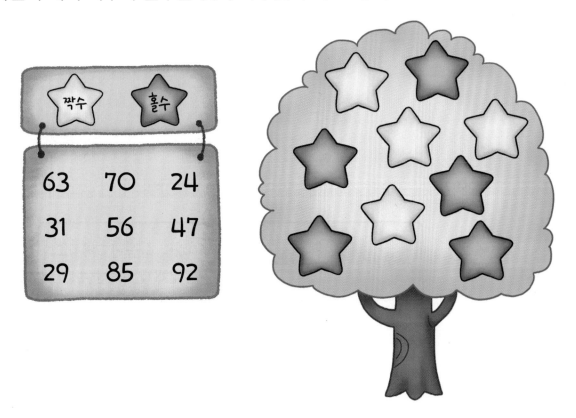

문제 해결

1 설명하는 두 수의 크기를 비교하려고 합니다. 물음에 답하세요.

> 쉰둘보다 1만큼 더 큰 수

> 10개씩 묶음이 5개이고 낱개가 4개인 수

❶ 쉰둘보다 1만큼 더 큰 수는 얼마일까요?

(   )

❷ 10개씩 묶음이 5개이고 낱개가 4개인 수는 얼마일까요?

(   )

❸ □ 안에 알맞은 수를 쓰고 ○ 안에 >, <를 알맞게 써넣으세요.

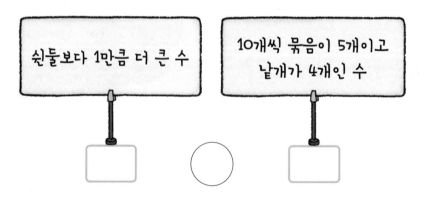

2 □ 안에 알맞은 수를 쓰고 ◯ 안에 >, <를 알맞게 써넣으세요.

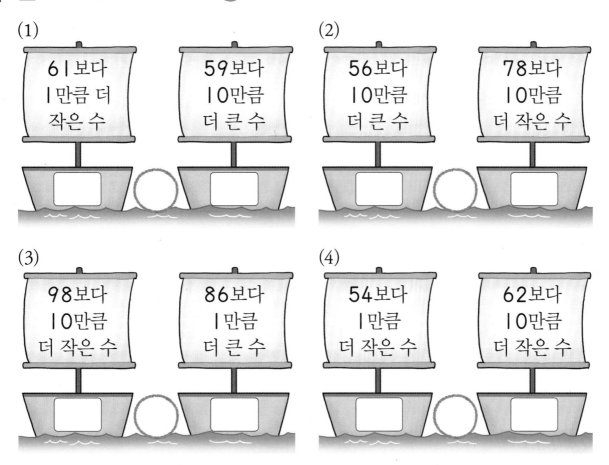

(1) 61보다 1만큼 더 작은 수 ◯ 59보다 10만큼 더 큰 수

(2) 56보다 10만큼 더 큰 수 ◯ 78보다 10만큼 더 작은 수

(3) 98보다 10만큼 더 작은 수 ◯ 86보다 1만큼 더 큰 수

(4) 54보다 1만큼 더 작은 수 ◯ 62보다 10만큼 더 작은 수

3 짝수와 홀수로 구분한 뒤 □ 안에 알맞은 수를 써넣으세요.

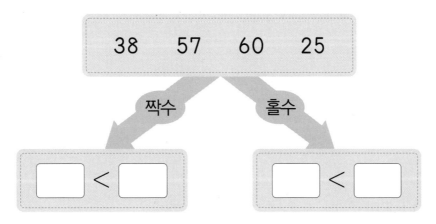

38 57 60 25

짝수 홀수

□ < □   □ < □

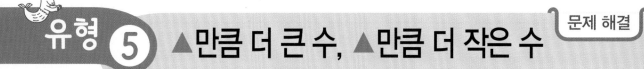

1 75보다 5만큼 더 큰 수와 75보다 5만큼 더 작은 수를 각각 구하려고 합니다. 물음에 답하세요.

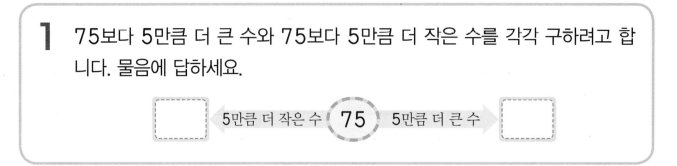

❶ 75부터 수를 순서대로 세어 써 보세요.

❷ 75보다 5만큼 더 큰 수는 얼마일까요?

(   )

❸ 75부터 수를 거꾸로 세어 써 보세요.

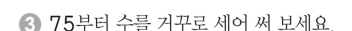

❹ 75보다 5만큼 더 작은 수는 얼마일까요?

(   )

2 개구리가 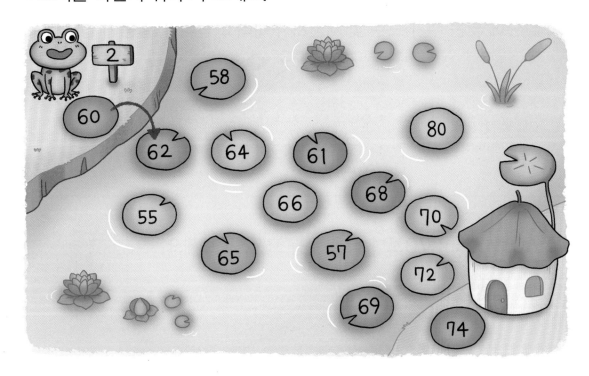 안의 수만큼씩 큰 수를 따라가면 집을 찾아갈 수 있다고 합니다. 표시를 하면서 뛰어 가 보세요.

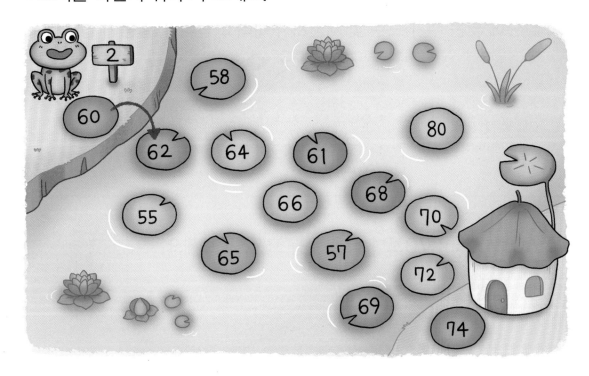

3 빈칸에 알맞은 수를 써넣으세요.

(1)

65

| 1만큼
더 작은 수 | 1만큼
더 큰 수 |

(2)

80

| 3만큼
더 작은 수 | 3만큼
더 큰 수 |

(3)

일흔둘

| 10만큼
더 작은 수 | 10만큼
더 큰 수 |

(4)

예순아홉

| 2만큼
더 작은 수 | 2만큼
더 큰 수 |

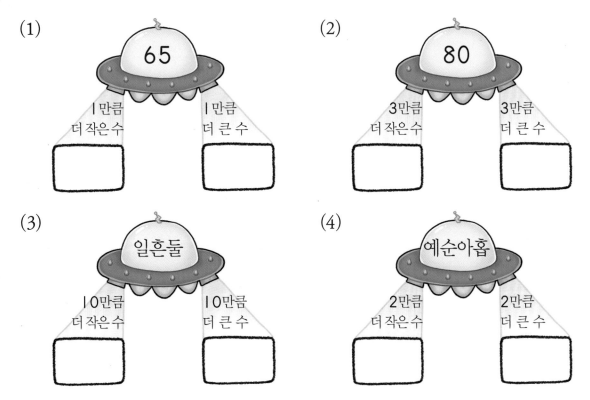

유형 ⑥ 조건에 맞는 수 구하기

정보 처리

1 조건 에 맞는 수가 모두 몇 개인지 구하려고 합니다. 물음에 답하세요.

조건
- 60보다 크고 70보다 작습니다.
- 짝수입니다.

❶ 60보다 크고 70보다 작은 수를 모두 써 보세요.

( )

❷ ❶에서 쓴 수 중 짝수를 모두 써 보세요.

( )

❸ 조건에 맞는 수는 모두 몇 개일까요?

( )

2 조건 에 맞는 수를 구하려고 합니다. ⬤ 안에 알맞은 수를 써넣으세요.

(1) 조건
> • 53보다 크고 58보다 작습니다.
> • 홀수입니다.

(2) 조건
> • 10개씩 묶음의 수가 7입니다.
> • 낱개의 수가 10개씩 묶음의 수보다 큽니다.

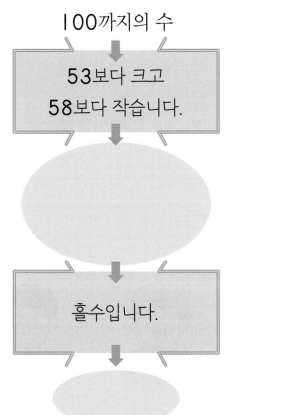

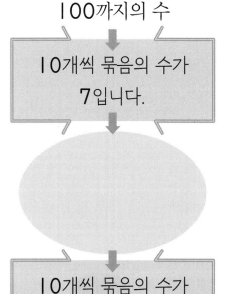

3 조건 에 맞는 수는 모두 몇 개인지 구해 보세요.

(1) 조건
> 17보다 작은 홀수

(2) 조건
> 10개씩 묶음의 수와 낱개의 수가 같은 몇십몇

(   )   (   )

1 3장의 수 카드 중에서 2장을 뽑아 몇십몇을 만들려고 합니다. 만들 수 있는 수 중에서 짝수는 모두 몇 개일까요?

(   )

2 영진이는 친구들과 도토리를 땄습니다. 도토리를 가장 많이 딴 사람은 누구인지 구해 보세요.

영진   동혁   승기   태민

(   )

3 어떤 수보다 1만큼 더 큰 수는 87입니다. 어떤 수보다 1만큼 더 작은 수는 얼마일까요?

(   )

4 수의 순서를 생각하여 ◯ 안에 있는 수의 자리를 찾아 이어 보세요.

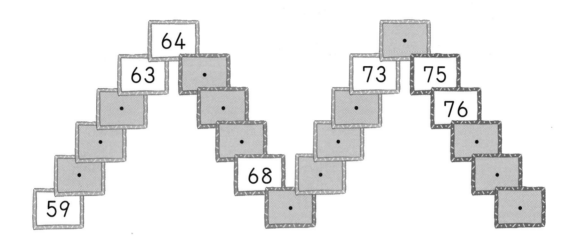

5 상자를 번호 순서대로 쌓았습니다. ☐ 안에 알맞은 번호를 써넣으세요.

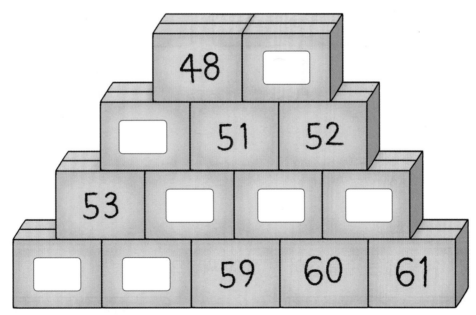

6 수를 순서대로 썼을 때 55와 60 사이에 있는 수를 모두 찾아 써 보세요.

| 53 | 57 | 60 | 59 | 62 |

(   )

7 농장에서 귤을 서연이는 62개, 연지는 80개 땄습니다. 준호는 연지보다 1개 더 적게 땄습니다. 귤을 많이 딴 사람부터 순서대로 이름을 써 보세요.

(   )

8 ☐ 안에 알맞은 수를 쓰고 ◯ 안에 >, <를 알맞게 써넣으세요.

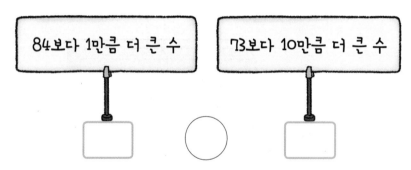

9 주어진 수 중 없는 수를 찾아 ☐ 안에 써넣으세요.

(1)

62부터 74까지의 수				
62	65	69	72	
63	67	70	73	없는 수
64	68	71	74	

(2)

75부터 87까지의 수				
81	79	76	83	
84	75	80	77	없는 수
85	86	78	87	

10 빈 곳에 주어진 수만큼씩 큰 수를 차례로 써 보세요.

(1)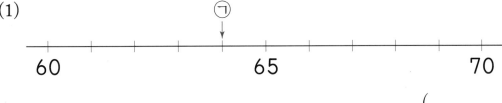

(2)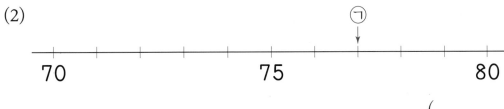

11 수직선에서 ㉠이 나타내는 수는 얼마인지 구해 보세요.

(1)

```
        ㉠
        ↓
|---|---|---|---|---|---|---|---|---|---|
60          65              70
```

(   )

(2)

```
                        ㉠
                        ↓
|---|---|---|---|---|---|---|---|---|---|
70          75              80
```

(   )

12 연필이 10자루씩 묶음 6개와 낱개 13자루가 있습니다. 연필은 모두 몇 자루인지 구해 보세요.

(   )

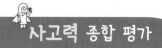
13 화살표를 다음과 같이 약속 할 때 ㉠에 알맞은 수를 구해 보세요.

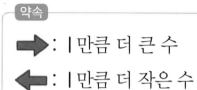

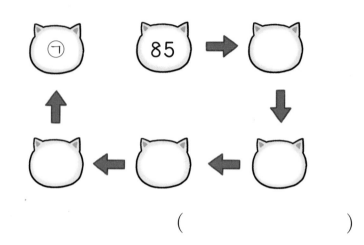

(   )

14 다음 수가 짝수일 때 0부터 9까지의 수 중에서 ☐ 안에 들어갈 수 있는 수를 모두 써 보세요.

4☐

(   )

15 51부터 100까지의 수를 차례대로 쓸 때 숫자 7은 모두 몇 번 쓰게 되는지 구해 보세요.

(   )

2 덧셈과 뺄셈(1)

✿ 덧셈하기 (1)

$25+3=28$

$$\begin{array}{r} 2\,5 \\ +\ \ 3 \\ \hline 2\,8 \end{array}$$

✿ 덧셈하기 (2), (3)

$14+23=37$

$$\begin{array}{r} 1\,4 \\ +\ 2\,3 \\ \hline 3\,7 \end{array}$$

> 줄을 맞추어 쓰고 낱개끼리, 10개씩 묶음 끼리 더합니다.

✿ 그림을 보고 덧셈하기

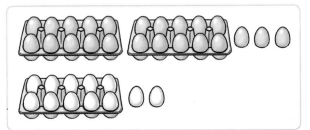

- 달걀이 모두 몇 개인지 덧셈식으로 나타내기

  → $\left[\begin{array}{l} 23+12=35 \\ 12+23=35 \end{array}\right.$

✿ 뺄셈하기 (1)

$17-6=11$

$$\begin{array}{r} 1\,7 \\ -\ \ 6 \\ \hline 1\,1 \end{array}$$

✿ 뺄셈하기 (2), (3)

$78-35=43$

$$\begin{array}{r} 7\,8 \\ -\ 3\,5 \\ \hline 4\,3 \end{array}$$

> 줄을 맞추어 쓰고 낱개끼리, 10개씩 묶음 끼리 뺍니다.

✿ 그림을 보고 뺄셈하기

- 남은 초콜릿은 몇 개인지 뺄셈식으로 나타내기

  → $38-15=23$

1 보기와 같이 올바른 덧셈식이 되도록 선을 그어 보세요.

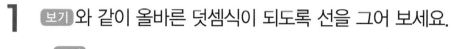

보기

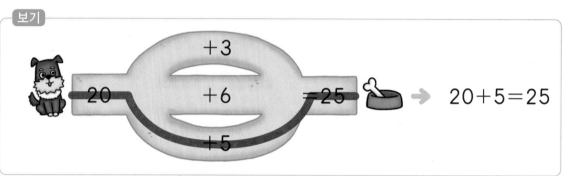

❶

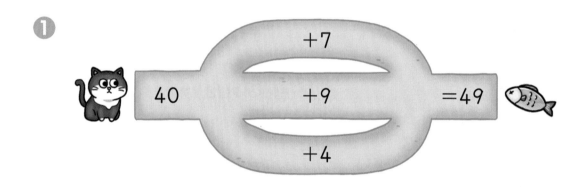

❷

2 올바른 뺄셈식이 되도록 선을 그어 보세요.

(1)
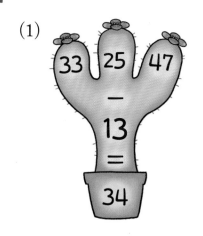

(2)
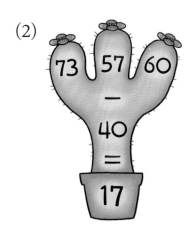

3 보기와 같이 상자 안에 있는 두 수의 합 또는 차가 🍀와 💜에 쓰여져 있습니다. 알맞은 두 수를 찾아 ◯표 하세요.

(1)
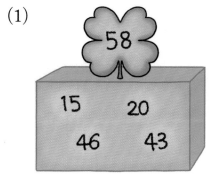

(2)
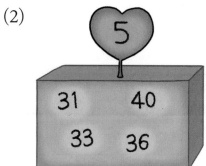

규칙 찾아 계산하기

1 벽돌을 보기 의 규칙에 따라 쌓고 있습니다. 물음에 답하세요.

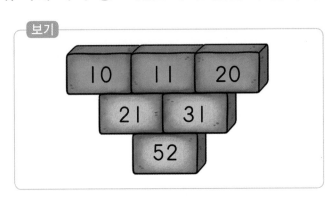

보기

❶ ☐ 안에 알맞은 수를 써넣고 벽돌을 쌓은 규칙을 찾아보세요.

$$10+11=\boxed{},\ 11+20=\boxed{},\ 21+31=\boxed{}$$

규칙 나란히 놓인 두 칸에 쓰인 수의 (합 , 차)을/를 아래 칸에 쓰는 규칙입니다.

❷ 보기 의 규칙에 따라 벽돌을 쌓으려고 합니다. 빈 곳에 알맞은 수를 써넣으세요.

(1)
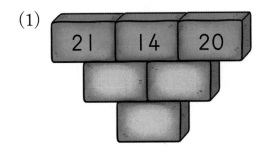

(2)
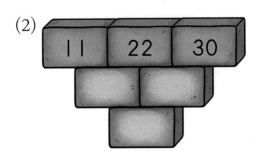

2 보기에서 규칙을 찾고 그 규칙에 따라 빈 곳에 알맞은 수를 써넣으세요.

(1) 보기

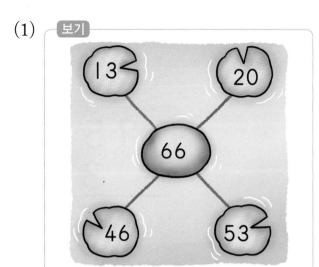

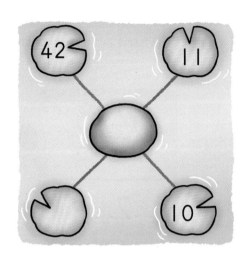

규칙 돌에 적힌 수는 같은 색선으로 연결된 두 잎에 적힌 수의 (합 , 차) 입니다.

(2) 보기

```
        30
        ♥
46  ★  10  =  36
        =
        40
```

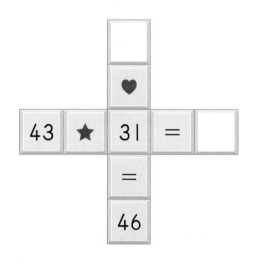

규칙 ♥는 두 수의 (합 , 차)을/를 구하고, ★은 두 수의 (합 , 차)을/를 구합니다.

1 보기와 같이 ◯ 안에 알맞은 수를 써넣으세요.

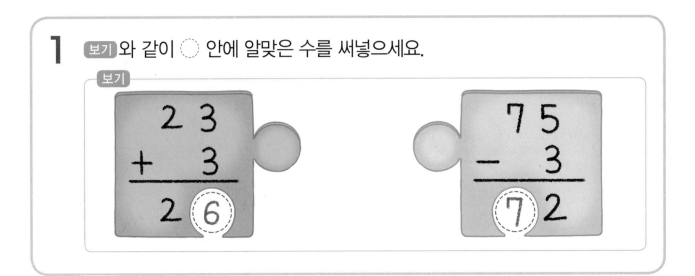

보기

$$\begin{array}{r} 2\,3 \\ +\ \ 3 \\ \hline 2\,6 \end{array}$$

$$\begin{array}{r} 7\,5 \\ -\ \ 3 \\ \hline 7\,2 \end{array}$$

❶

$$\begin{array}{r} 3\,7 \\ +\ 4 \\ \hline 7\,9 \end{array}$$

$$\begin{array}{r} 6\,8 \\ -\,2 \\ \hline 4\,3 \end{array}$$

❷

$$\begin{array}{r} 4 \\ +\,3\,5 \\ \hline 4 \end{array}$$

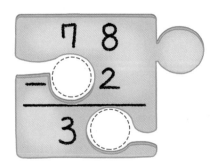

$$\begin{array}{r} 7\,8 \\ -\ \ 2 \\ \hline 3 \end{array}$$

2 가장 아랫줄부터 선으로 연결된 순서에 따라 계산하는 퍼즐이 있습니다. 빈 곳에 알맞은 수를 써넣어 퍼즐을 완성해 보세요.

(1)   (2)

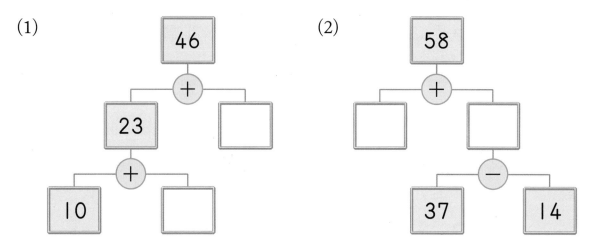

(3)

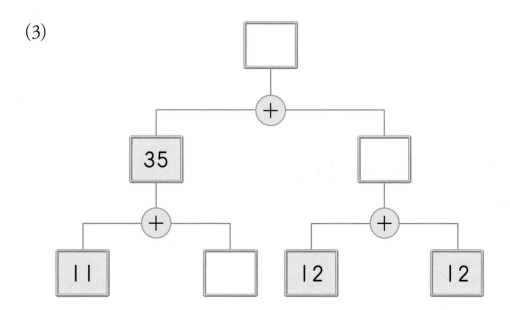

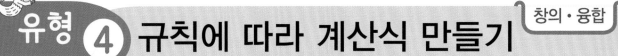

유형 4 규칙에 따라 계산식 만들기 창의·융합

1 보기와 같이 동물 그림을 수로 나타내고 덧셈식과 뺄셈식을 만들어 계산해 보세요.

보기

오리   뱀   토끼   호랑이

2 0 + 4 4 = 64

① 보기의 동물 그림을 수로 나타낸 규칙을 찾아보세요.

동물의 (꼬리 수 , 다리 수)를 이용하여 몇십몇으로 나타내고 계산하는 규칙입니다.

② 고양이   닭   독수리   메뚜기

→ ☐ 2 + ☐ 6 = ☐

③ 토끼   문어   낙타   병아리

→ ☐☐ － ☐☐ = ☐

2 자음자와 모음자가 만나서 글자가 됩니다. 보기와 같이 각 글자의 자음자와 모음자의 수를 세어 몇십몇으로 나타내고 덧셈식과 뺄셈식을 만들어 계산해 보세요.

→ 자음자와 모음자의 수가 3개입니다.

보기

감자 + 호박

$$3 \quad 2 \quad + \quad 2 \quad 3 \quad = \quad 55$$

(1) # 오이 + 당근

→ ☐ 2 + ☐ 3 = ☐

(2) # 구슬 + 바람

→ ☐☐ + ☐☐ = ☐

(3) # 장미 - 나비

→ 3☐ - ☐ 2 = ☐

1 보기와 같이 각각의 그림이 나타내는 수를 구해 보세요.

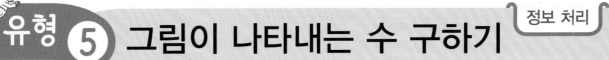

보기

$10+10=●$

$●+14=▲$

→ ● (20)

　　▲ (34)

❶

$15+20=▲$

$▲+23=★$

→ ▲ (　　　), ★ (　　　)

❷

$33-20=⚽$

$⚽+15=🏐$

→ ⚽ (　　　), 🏐 (　　　)

❸

$⚾+⚾=60$

$12+⚾=🏀$

→ ⚾ (　　　), 🏀 (　　　)

2 식을 보고 각각의 그림이 나타내는 수를 구해 보세요.

$$11 + 11 = 🍎$$

$$🍎 + 40 = 🍉$$

$$🍉 - 31 = 🍌$$

$$🍌 - 20 = 🍊$$

🍎 (   ), 🍉 (   ), 🍌 (   ), 🍊 (   )

3 2에서 각각의 그림이 나타내는 수를 이용하여 계산해 보세요.

(1) 🍎 + 🍌 = ☐

(2) 🍉 − 🍊 = ☐

(3) 🍉 + 🍎 = ☐

(4) 🍌 − 🍊 = ☐

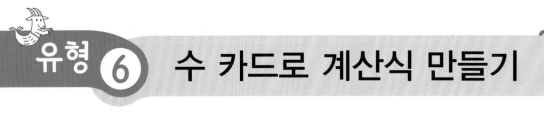
1 4장의 수 카드를 한 번씩만 사용하여 만들 수 있는 몇십몇 중에서 가장 큰 수와 가장 작은 수를 만들어 두 수의 차를 구해 보세요.

3 6 5 7

❶ 주어진 수 카드의 수를 큰 수부터 차례로 써 보세요.

□, □, □, □

❷ 수 카드를 한 번씩만 사용하여 만들 수 있는 가장 큰 몇십몇을 구해 보세요.

(   )

❸ 수 카드를 한 번씩 사용하여 만들 수 있는 가장 작은 몇십몇을 구해 보세요.

(   )

❹ ❷와 ❸에서 만든 수의 차를 구해 보세요.

□ − □ = □

2 3장의 수 카드 중에서 2장을 한 번씩만 사용하여 가장 큰 몇십몇을 만들었습니다. 이 수와 남은 수의 합을 구해 보세요.

(   )

3 4장의 수 카드를 한 번씩만 사용하여 만들 수 있는 몇십몇 중에서 가장 큰 수와 가장 작은 수의 차를 구해 보세요.

(   )

4 3장의 수 카드 중에서 2장을 한 번씩만 사용하여 둘째로 큰 몇십몇을 만들었습니다. 이 수와 남은 수의 합을 구해 보세요.

(   )

1 올바른 계산식이 되도록 선으로 연결해 보세요.

(1)

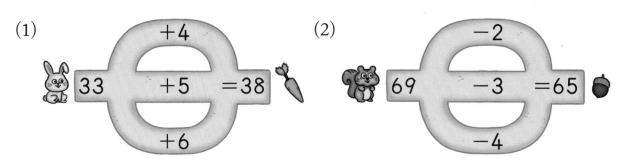

(2)

2 나란히 놓인 두 수의 합을 아래 칸에 써넣는 규칙입니다. 빈 곳에 알맞은 수를 써넣으세요.

(1)

(2)

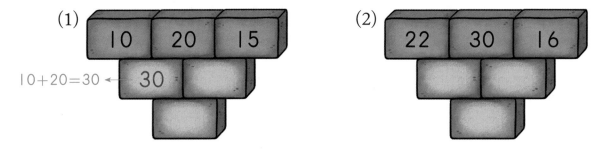

3 두 수를 골라 합이 80이 되도록 ☐ 안에 알맞은 수를 써넣으세요.

| 10 | 20 | 30 | 40 | 60 |

☐ + ☐ = 80

4 보기와 같은 규칙으로 빈 곳에 알맞은 수를 써넣으세요.

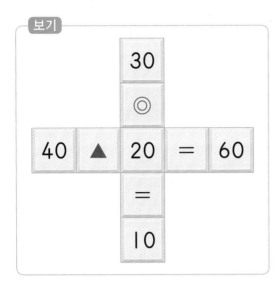

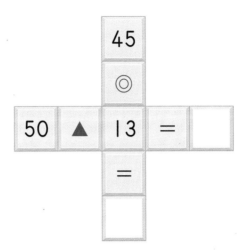

5 □ 안에 알맞은 수를 써넣으세요.

(1)

```
   3 □
 + 2 3
 ─────
   5 9
```

(2)

```
   5 7
 − 4 □
 ─────
   1 2
```

6 가장 아랫줄부터 선으로 연결된 두 수를 계산하여 바로 위의 칸에 쓰는 규칙입니다. 빈 곳에 알맞은 수를 써넣으세요.

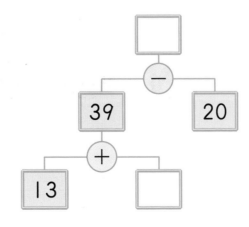

7 □ 안에 알맞은 수를 써넣으세요.

$$52 + \boxed{} = 83$$

8 ◇은 상자 안에 있는 두 수의 합이고 ♠은 상자 안에 있는 두 수의 차입니다. 알맞은 두 수를 찾아 ○표 하세요.

(1)

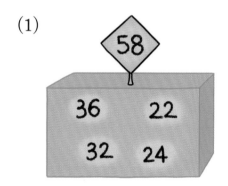

(2)

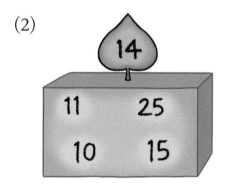

9 식을 보고 각각의 그림이 나타내는 수를 구해 보세요.

$$20 \ + \ 20 \ = \ \text{🍬}$$

$$\text{🍬} + \text{🍬} = \text{🍫}$$

🍬 (   ), 🍫 (   )

10 4장의 수 카드 중에서 2장을 한 번씩만 사용하여 만들 수 있는 몇십몇 중에서 가장 큰 수와 가장 작은 수의 합과 차를 각각 구해 보세요.

합 (   )

차 (   )

2 단원

11 □ 안에 알맞은 수를 구해 보세요.

$$25 + \square = 78 - 30$$

(   )

12 식에서 ♥에 알맞은 수를 구해 보세요.

$$\blacktriangle + \blacktriangle = 40$$
$$\blacktriangle + 27 = \heartsuit$$

(   )

13 3장의 수 카드 중에서 2장을 한 번씩만 사용하여 몇십몇을 만들었습니다. 이 수와 남은 수 카드의 수를 더했을 때의 계산 결과가 가장 크게 되도록 덧셈식을 만들고 계산해 보세요.

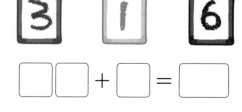

$$\square\square + \square = \square$$

14 채소 가게에 오이와 가지가 모두 88개 있습니다. 오이가 43개일 때, 가지는 오이보다 몇 개 더 많은지 구해 보세요.

( )

15 0부터 9까지의 수 중에서 □ 안에 들어갈 수 있는 수는 모두 몇 개인지 구해 보세요.

$$3\square + 22 < 56$$

( )

③ 여러 가지 모양

❀ , 모양 찾기

 모양 ➡

모양 ➡

 모양 ➡

❀ 모양 알아보기

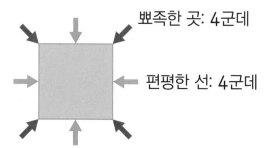

뽀족한 곳: 4군데

편평한 선: 4군데

❀ 모양 알아보기

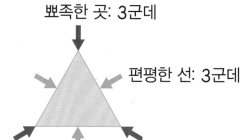

뽀족한 곳: 3군데

편평한 선: 3군데

❀ 모양 알아보기

- 뽀족한 곳이 없습니다.
- 편평한 선이 없고 둥근 부분만 있습니다.

❀ 손으로 ■, ▲, ● 모양 만들어 보기

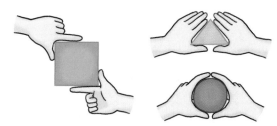

❀ 여러 가지 모양 꾸미기

모양	3개
모양	12개
모양	1개

꽃은 ● 모양과 ▲ 모양, 줄기는 ■ 모양, 잎사귀는 ■ 모양과 ▲ 모양으로 꾸몄습니다.

없어진 모양 찾기

1 왼쪽 그림은 진주가 ■, ▲, ● 모양을 이용하여 만든 로봇입니다. 동생이 몇 개의 모양을 가져가서 오른쪽과 같은 모양이 되었습니다. 동생이 어떤 모양을 몇 개 가지고 갔는지 구해 보세요.

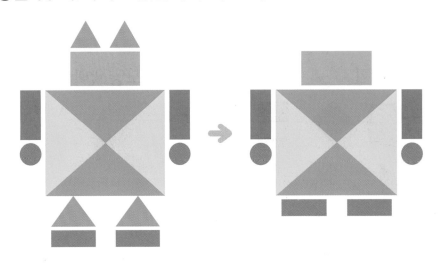

❶ 진주가 만든 로봇에서 찾을 수 있는 ■, ▲, ● 모양은 각각 몇 개일까요?

■ 모양 (   ), ▲ 모양 (   ), ● 모양 (   )

❷ 동생이 가지고 간 후 찾을 수 있는 ■, ▲, ● 모양은 각각 몇 개일까요?

■ 모양 (   ), ▲ 모양 (   ), ● 모양 (   )

❸ 동생은 어떤 모양을 몇 개 가지고 갔는지 구해 보세요.

▢ 모양, ▢ 개

2 그림과 똑같은 모양을 2개 만들려면 ▢ 모양은 모두 몇 개가 필요한지 구해 보세요.

(   )

3 ▢, △, ◯ 모양을 이용하여 왼쪽과 같이 집을 꾸몄습니다. 꾸민 모양에서 모양 몇 개가 떨어져서 오른쪽과 같이 되었습니다. 어떤 모양이 몇 개 떨어졌는지 구해 보세요.

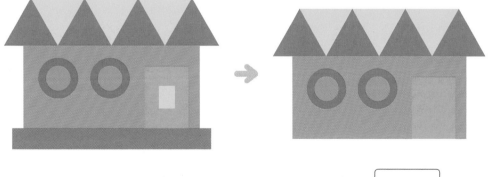

▢ 모양, ▢ 개

1 다음과 같이 ■, ▲, ● 모양 조각 4개를 겹쳐 놓았습니다. 가장 아래에 놓인 조각과 가장 위에 놓인 조각의 뾰족한 곳은 모두 몇 군데인지 구해 보세요.

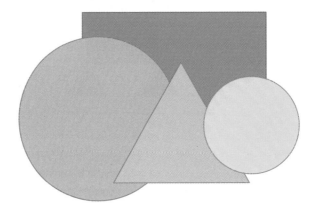

❶ 가장 위에 놓인 조각은 어떤 모양인지 ○표 하세요.

❷ 가장 아래에 놓인 조각은 어떤 모양인지 ○표 하세요.

❸ 가장 위에 놓인 조각과 가장 아래에 놓인 조각의 뾰족한 곳은 모두 몇 군데인지 구해 보세요.

(   )

2 다음과 같이 ■, ▲, ● 모양 조각 4개를 겹쳐 놓았습니다. 가장 아래에 있는 조각은 어떤 모양인지 찾아 ○표 하세요.

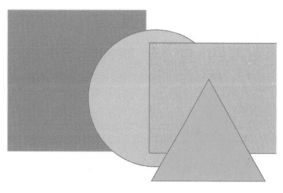

(■ , ▲ , ●)

3

3 다음과 같이 ■, ▲, ● 모양 조각 5개를 겹쳐 놓았습니다. 가장 아래에 놓인 조각은 가장 위에 놓인 조각보다 뾰족한 곳이 몇 군데 더 많은지 구해 보세요.

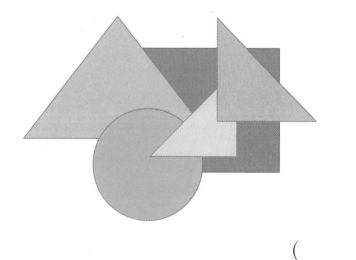

(   )

1 색종이를 그림과 같이 3번 접은 후 펼쳐서 접힌 선을 따라 모두 잘랐습니다. 뽀족한 곳이 4군데인 모양은 몇 개 만들어지는지 구해 보세요.

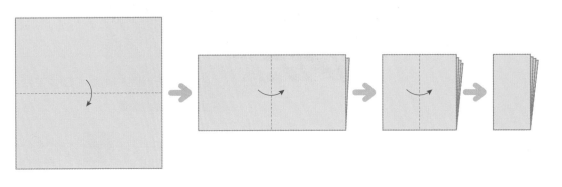

❶ 뾰족한 곳이 4군데인 모양에 ◯표 하세요.

❷ 색종이를 3번 접은 후 펼쳤을 때 접힌 선을 색종이에 나타내어 보세요.

❸ 접힌 선을 따라 모두 잘랐을 때 뾰족한 곳이 4군데인 모양은 몇 개 만들어질까요?

(   )

2 색종이를 그림과 같이 한 번 접고 점선을 따라 잘랐습니다. 자른 조각들을 펼쳤을 때 찾을 수 있는 모양에 ◯표 하세요.

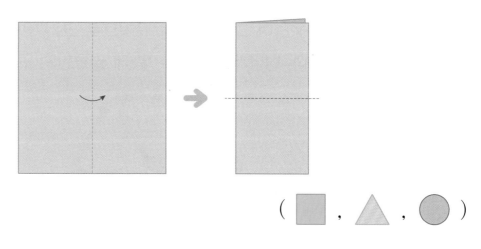

3 색종이를 그림과 같이 한 번 접고 점선을 따라 두 번 잘랐습니다. 자른 조각들을 펼치면 ▢, △, ◯ 중에서 어떤 모양이 각각 몇 개씩 만들어지는지 구해 보세요.

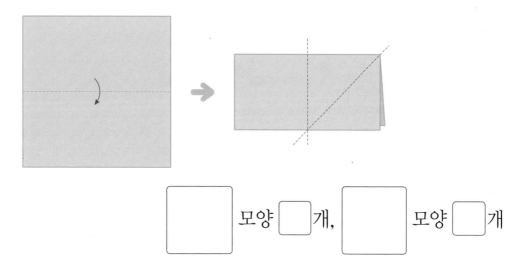

☐ 모양 ☐개, ☐ 모양 ☐개

유형 ④ 성냥개비로 만든 모양

1 성냥개비를 사용하여 그림과 같은 규칙으로 크기가 같은 △ 모양 5개를 만들려고 합니다. 성냥개비는 모두 몇 개 필요한지 구해 보세요.

...

❶ △ 모양을 1개 만드는 데 성냥개비 몇 개가 필요할까요?

(   )

❷ △ 모양이 5개가 되도록 그림을 그려 보세요.

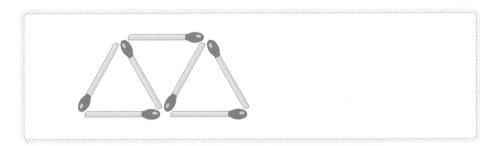

❸ △ 모양 5개를 만들려면 성냥개비는 모두 몇 개 필요한지 구해 보세요.

(   )

2 그림과 같이 성냥개비를 사용하여 만든 모양에서 △ 모양과 □ 모양은 각각 몇 개씩 찾을 수 있는지 구해 보세요. (△ 모양과 □ 모양은 가장 작은 모양만 찾아 셉니다.)

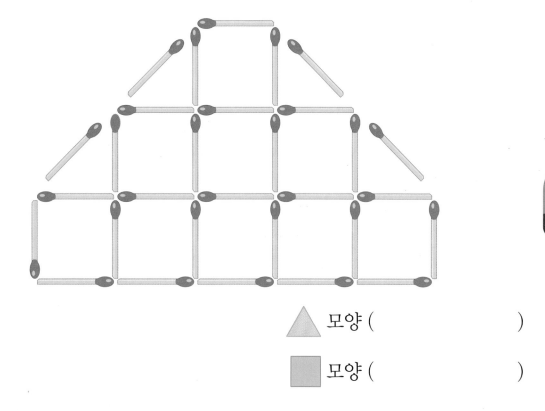

△ 모양 (   )

□ 모양 (   )

3 면봉을 사용하여 그림과 같은 규칙으로 크기가 같은 □ 모양 7개를 만들려고 합니다. 면봉은 모두 몇 개 필요한지 구해 보세요.

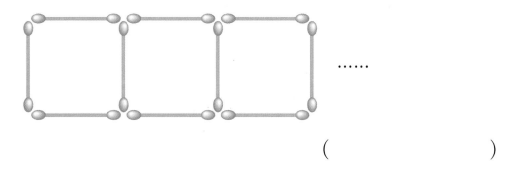

(   )

1 카스텔라를 선을 따라 잘랐을 때 ■, ▲, ● 모양 중에서 찾을 수 <u>없는</u> 모양을 알아보려고 합니다. 물음에 답하세요.

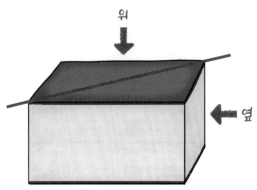

❶ 자른 조각의 윗부분과 아랫부분에서 찾을 수 있는 모양에 ○표 하세요.

❷ 안쪽 자른 부분에서 찾을 수 있는 모양에 ○표 하세요.

❸ 옆 부분에서 찾을 수 있는 모양에 ○표 하세요.

❹ 카스텔라를 잘랐을 때 찾을 수 <u>없는</u> 모양에 ○표 하세요.

2 두부를 다음과 같이 잘랐을 때  모양 중에서 찾을 수 있는 모양을 그려 보세요.

☐ 모양

3 롤케이크를 가와 나의 선을 따라 잘랐을 때  모양 중에서 찾을 수 <u>없는</u> 모양을 알아보세요.

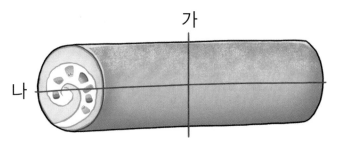

(1) 가의 선을 따라 잘랐을 때 찾을 수 있는 모양은  모양 중 어떤 모양일까요?

☐ 모양

(2) 나의 선을 따라 잘랐을 때 찾을 수 있는 모양은  모양 중 어떤 모양일까요?

☐ 모양

(3) 롤케이크를 가와 나의 선을 따라 잘랐을 때 찾을 수 <u>없는</u> 모양에 ○표 하세요.

1 그림에서 찾을 수 있는 크고 작은 ▦ 모양은 모두 몇 개인지 구해 보세요.

❶ 찾을 수 있는 ▦ 모양 중 ☐ 모양 1개짜리는 모두 몇 개일까요?

(   )

❷ 찾을 수 있는 ▦ 모양 중 ☐ 모양 2개짜리는 모두 몇 개일까요?

(   )

❸ 찾을 수 있는 ▦ 모양 중 ☐ 모양 3개짜리는 모두 몇 개일까요?

(   )

❹ 찾을 수 있는 ▦ 모양 중 ☐ 모양 4개짜리는 모두 몇 개일까요?

(   )

❺ 그림에서 찾을 수 있는 크고 작은 ▦ 모양은 모두 몇 개일까요?

(   )

2 그림에서 찾을 수 있는 크고 작은 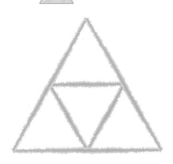 모양은 모두 몇 개인지 구해 보세요.

(   )

3 그림에서 찾을 수 있는 크고 작은 ⬜ 모양은 모두 몇 개인지 구해 보세요.

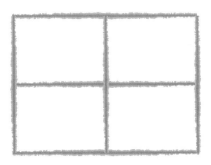

(   )

1 물감을 묻혀 찍었을 때 나올 수 <u>없는</u> 모양에 ◯표 하세요.

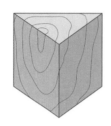

()

2 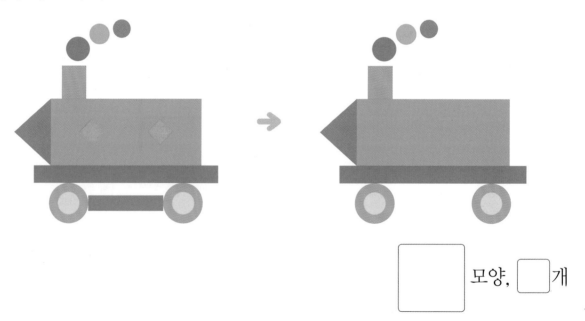 모양을 이용하여 왼쪽과 같이 기차를 꾸몄습니다. 꾸민 모양에서 모양이 몇 개 떨어져서 오른쪽과 같이 되었습니다. 어떤 모양이 몇 개 떨어졌는지 구해 보세요.

모양, 개

3 주어진 모양들에서 찾을 수 있는 뾰족한 곳은 모두 몇 군데인지 세어 보세요.

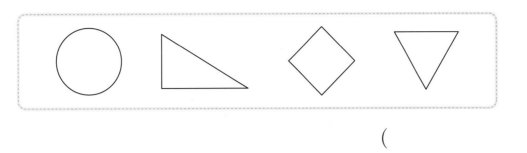

(   )

4 그림과 같이 성냥개비를 사용하여 만든 모양에서 △ 모양과 ▢ 모양은 각각 몇 개씩 찾을 수 있는지 구해 보세요. (△ 모양과 ▢ 모양은 가장 작은 모양만 찾아 셉니다.)

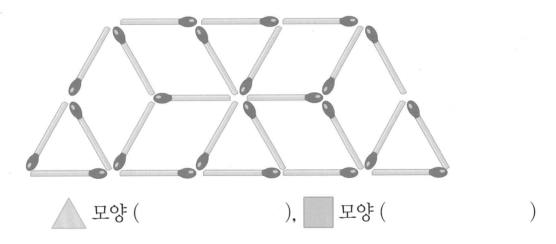

△ 모양 (   ), ▢ 모양 (   )

5 그림과 같이 케이크를 잘랐을 때 잘라 낸 모양에서 찾을 수 있는 모양에 모두 ○표 하세요.

(▢ , △ , ●)

6 색종이를 그림과 같이 한 번 접고 점선을 따라 잘랐습니다. 자른 조각들을 펼치면 ▢, △, ● 모양 중에서 어떤 모양이 몇 개 만들어지는지 구해 보세요.

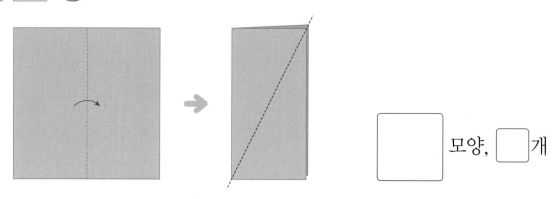

모양, ⬚ 개

7 성냥개비를 사용하여 그림과 같은 규칙으로 크기가 같은 △ 모양 7개를 만들려고 합니다. 성냥개비는 모두 몇 개 필요한지 구해 보세요.

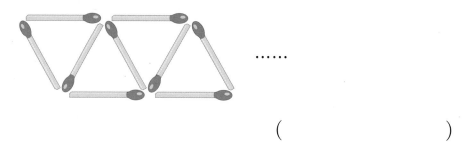

......

( )

8 다음 모양에 면봉을 1개 더 놓아서 △ 모양 2개를 만들어 보세요.

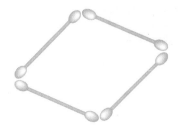

9 다음과 같이 ■, ▲, ● 모양 조각 5개를 겹쳐 놓았습니다. 가장 위에 놓인 조각과 가장 아래에 놓인 조각의 뾰족한 곳은 모두 몇 군데인지 구해 보세요.

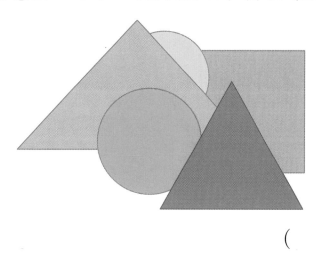

(   )

3
단원

10 ■, ▲, ● 모양을 이용하여 여러 가지 모양을 꾸며 보세요.

11 크기가 같은 ▲ 모양 6개가 되도록 자르려고 합니다. 자르는 선을 3개 그어 보세요.

유형 ① 10이 되는 더하기

문제 해결

1 보기와 같이 모아서 10이 되는 수 카드 2장을 모두 찾아 연결해 보세요.

❶

❷

12 그림에서 찾을 수 있는 크고 작은 △ 모양은 모두 몇 개일까요?

(　　　　　　)

13 그림에서 찾을 수 있는 크고 작은 ■ 모양은 모두 몇 개일까요?

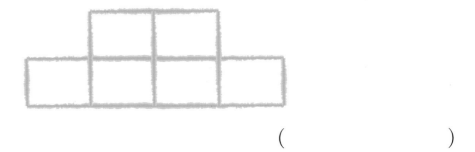

(　　　　　　)

14 ■, ▲, ● 모양의 단추를 다음과 같이 두 군데로 나누었습니다. 어떤 기준으로 나눈 것인지 써 보세요.

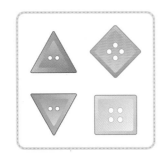 

기준 _____

_____

_____

4 덧셈과 뺄셈 (2)

✿ 세 수의 덧셈 알아보기

$3+4+2=9$

앞의 두 수의 덧셈을 먼저 하고 나머지 한 수를 더합니다.

✿ 세 수의 뺄셈 알아보기

$9-2-3=4$

앞의 두 수의 뺄셈을 먼저 하고 나머지 한 수를 뺍니다.

✿ 이어 세기로 두 수를 더하기

더하는 수만큼 이어 세어 합을 구할 수 있습니다.

7 8 9 10 11

$7+4=11$

4 5 6 7 8 9 10 11

$4+7=11$

두 수를 바꾸어 더해도 합이 같습니다.

✿ 10이 되는 더하기와 10에서 빼기

$1+9=10$
$2+8=10$
$3+7=10$
$4+6=10$
$5+5=10$
$6+4=10$
$7+3=10$
$8+2=10$
$9+1=10$

$10-1=9$
$10-2=8$
$10-3=7$
$10-4=6$
$10-5=5$
$10-6=4$
$10-7=3$
$10-8=2$
$10-9=1$

✿ 10을 만들어 세 수를 더하기

더해서 10이 되는 두 수를 먼저 더합니다.

$8+2+6=16$ $7+9+1=17$

2 구슬을 모아서 10개가 되는 것끼리 연결해 보세요.

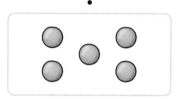

3 주머니 속에 있는 구슬 중에서 합이 10이 되는 두 수를 골라 ☐ 안에 알맞게 써 넣으세요.

(1)

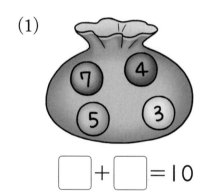

☐ + ☐ = 10

(2)

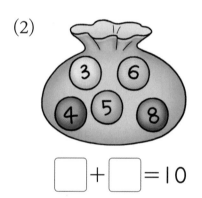

☐ + ☐ = 10

4 시계에서 합이 10이 되는 두 수끼리 모두 짝을 지었습니다. 짝을 짓고 남은 수 중에서 가장 큰 수와 가장 작은 수의 합을 구해 보세요.

(   )

유형 ② 10이 되는 더하기와 10에서 빼기 추론

1 주영이는 구슬 10개를 양손에 나누어 가지고 있습니다. 주먹 쥔 손에 있던 구슬의 반을 동생에게 주었습니다. 동생에게 준 구슬은 몇 개인지 구해 보세요.

❶ 주영이의 펼친 손에 있는 구슬은 몇 개일까요?

(   )

❷ 주영이의 주먹 쥔 손에 있는 구슬은 몇 개일까요?

(   )

❸ 주영이가 동생에게 준 구슬은 몇 개일까요?

(   )

2 ☐ 안에 알맞은 수가 가장 큰 것을 찾아 기호를 써 보세요.

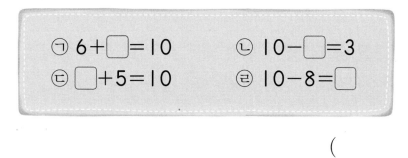

(   )

3 놀이터에서 아이들 10명이 놀고 있습니다. 잠시 후 남자 아이 3명과 여자 아이 몇 명이 집으로 돌아갔습니다. 놀이터에 남아 있는 아이들이 4명일 때 집에 간 여자 아이는 몇 명인지 구해 보세요.

(   )

1 수 카드 5장 중 더하면 10이 되는 수 카드 두 장을 골랐습니다. 10을 만들고 남은 수 카드 3장에 적힌 수의 합을 구해 보세요.

❶ 더하면 10이 되는 수 카드를 찾아 써 보세요.

(☐ , ☐)

❷ 10을 만들고 남은 수 카드를 작은 수부터 차례로 써 보세요.

(☐ , ☐ , ☐)

❸ 10을 만들고 남은 3장의 수 카드에 적힌 수의 합을 구해 보세요.

( )

2 수 카드 5장의 수를 모두 더하면 얼마인지 구해 보세요.

(1) 더하면 10이 되는 수 카드를 2장씩 짝을 지어 □ 안에 알맞은 수를 써넣으세요.

$$\boxed{} + \boxed{} = 10, \quad \boxed{} + \boxed{} = 10$$

(2) (1)에서 짝을 짓고 남은 수 카드의 수를 써 보세요.

(   )

(3) 수 카드의 수를 모두 더하면 10개씩 묶음 몇 개와 낱개 몇 개가 될까요?

10개씩 묶음 □ 개와 낱개 □ 개

(4) 수 카드의 수를 모두 더하면 얼마일까요?

(   )

3 종이에 쓰인 수를 모두 더하면 얼마인지 구해 보세요.

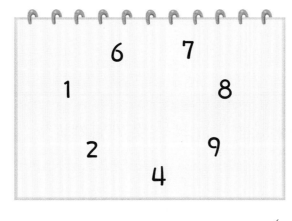

(   )

조건에 맞는 수

1 ㉠과 ㉡ 사이에 있는 수는 모두 몇 개인지 구해 보세요.

$$10-3=㉠$$
$$5+2+8=㉡$$

❶ ㉠과 ㉡의 값을 각각 구해 보세요.

㉠ (   )

㉡ (   )

❷ ㉠과 ㉡ 사이에 있는 수를 모두 써 보세요.

(   )

❸ ㉠과 ㉡ 사이에 있는 수는 모두 몇 개일까요?

(   )

2 1부터 9까지의 수 중에서 ☐ 안에 들어갈 수 있는 수를 모두 구해 보세요.

$$2+1+\boxed{}<7$$

( )

3 1부터 9까지의 수 중에서 ☐ 안에 들어갈 수 있는 가장 큰 수를 구해 보세요.

$$9-3-\boxed{}>2$$

(1) ☐ 안에 들어갈 수 있는 수를 모두 구해 보세요.

( )

(2) ☐ 안에 들어갈 수 있는 가장 큰 수는 얼마일까요?

( )

나타내는 수

1 다음은 숫자를 암호로 바꾼 표입니다. 암호를 해석하여 계산해 보세요.

숫자	1	2	3	4	5	6	7	8	9
암호	●	△	◻	♥	☆	◎	◇	♣	♠

❶ ◻ + ♥ = ☐

❷ ◇ + △ = ☐

❸ ♣ + △ + ● = ☐

❹ ♥ + ◎ + ◇ = ☐

❺ ◻ + ♠ + ● = ☐

❻ ☆ + ♥ + ◎ = ☐

❼ ◇ + ◻ + ♠ = ☐

❽ ♣ + ♥ = ☐

2 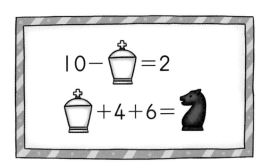이 나타내는 수를 구해 보세요.

$$10 - \text{♔} = 2$$
$$\text{♔} + 4 + 6 = \text{♞}$$

(   )

3 ☺ − ♚ − ✿ 의 값은 얼마인지 구해 보세요.

$$5 + 5 + 5 = \text{♚}$$
$$\text{♚} + 4 = \text{☺}$$
$$10 - \text{✿} = 8$$

(   )

유형 ⑥ 덧셈식과 뺄셈식

추론

1 보기 와 같이 세 수를 보고 덧셈식과 뺄셈식을 써 보세요.

보기

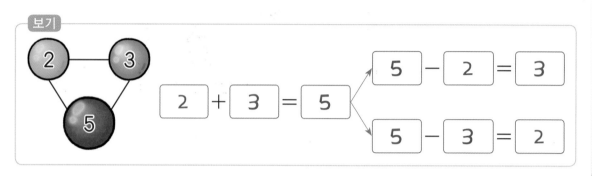

$$2 + 3 = 5$$

$$5 - 2 = 3$$

$$5 - 3 = 2$$

①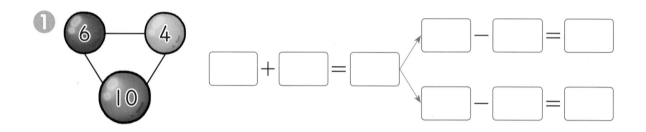

$$\boxed{} + \boxed{} = \boxed{}$$

$$\boxed{} - \boxed{} = \boxed{}$$

$$\boxed{} - \boxed{} = \boxed{}$$

②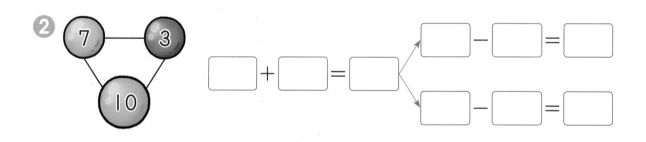

$$\boxed{} + \boxed{} = \boxed{}$$

$$\boxed{} - \boxed{} = \boxed{}$$

$$\boxed{} - \boxed{} = \boxed{}$$

③

$$\boxed{} + \boxed{} = \boxed{}$$

$$\boxed{} - \boxed{} = \boxed{}$$

$$\boxed{} - \boxed{} = \boxed{}$$

2 덧셈식을 보고 뺄셈식을 만들어 보세요.

$$5+5=10 \quad \rightarrow \quad \boxed{}-\boxed{}=\boxed{}$$

3 뺄셈식을 보고 덧셈식을 만들어 보세요.

$$10-8=2 \quad \begin{array}{c} \boxed{}+\boxed{}=\boxed{} \\ \boxed{}+\boxed{}=\boxed{} \end{array}$$

4 단원

4 4장의 수 카드 중에서 3장을 한 번씩만 사용하여 덧셈식과 뺄셈식을 만들어 보세요.

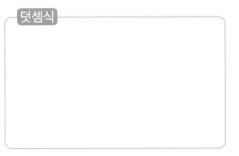

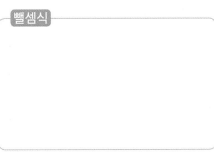

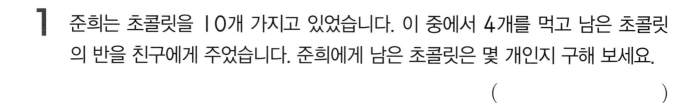

1 준희는 초콜릿을 10개 가지고 있었습니다. 이 중에서 4개를 먹고 남은 초콜릿의 반을 친구에게 주었습니다. 준희에게 남은 초콜릿은 몇 개인지 구해 보세요.

(   )

2 상자에 들어 있는 구슬 중에서 더하면 10이 되는 두 수를 골라 ☐ 안에 알맞게 써넣으세요.

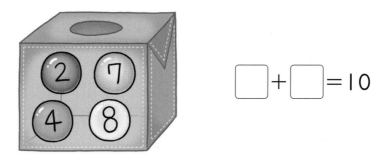

☐+☐=10

3 세 수의 합이 15가 되게 하려고 합니다. 빈 곳에 알맞은 수를 구해 보세요.

(   )

4 음계를 보고 ◯ 안의 계이름이 나타내는 수를 써넣고 계산해 보세요.

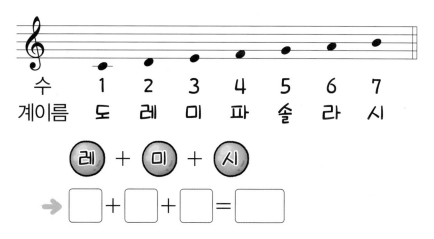

5 수 카드 5장 중에서 3장을 골라 계산 결과가 가장 큰 뺄셈식을 만들고 계산해 보세요.

6 수 카드 5장 중에서 더하면 10이 되는 수 카드 2장을 골라 짝을 지었습니다. 10을 만들고 남은 수 카드 3장에 적힌 수의 합을 구해 보세요.

( )

7 합이 10이 되도록 ☐ 안에 알맞은 수를 써넣으세요.

8 1부터 9까지의 수 중에서 ☐ 안에 들어갈 수 있는 수는 모두 몇 개인지 구해 보세요.

$$3+2+☐<9$$

(   )

9 ㉠과 ㉡ 사이에 있는 수를 모두 구해 보세요.

$$10-5=㉠$$
$$3+2+4=㉡$$

(   )

10 주어진 교통 표지판과 같은 모양에 쓰인 수들의 합을 구해 보세요.

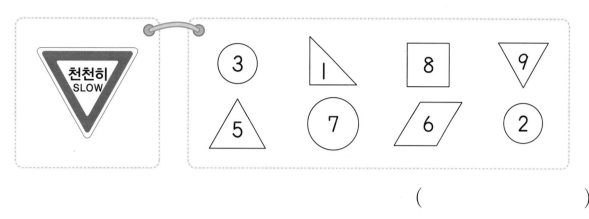

(   )

11 보기 의 규칙과 같이 빈 곳에 알맞은 수를 써넣으세요.

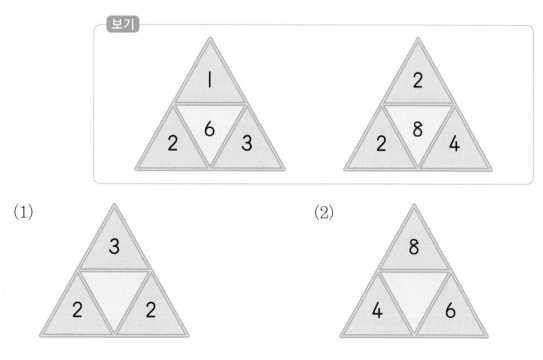

(1)   (2)

12 ☐ 안에 알맞은 수를 써넣으세요.

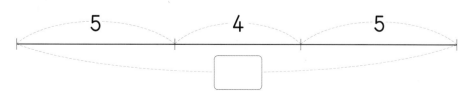

13 보기 와 같이 주어진 글자 수에 알맞게 노랫말을 만들어 보세요.

(1) 10글자 _____

(2) 14글자 _____

14 어떤 수에 2를 더해야 하는데 잘못하여 뺐더니 8이 되었습니다. 바르게 계산한 값은 얼마인지 구해 보세요.

(   )

15 각각의 ◯ 안에 있는 수들의 합이 10이 되도록 ☐ 안에 알맞은 수를 써넣으세요.

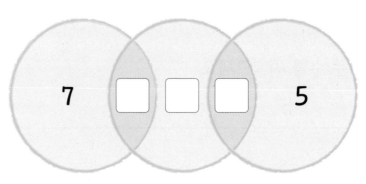

5 시계 보기와 규칙 찾기

✿ 몇 시 알아보기

8:00

시계의 짧은바늘이 8, 긴바늘이 12를 가리키므로 8시이고 여덟 시라고 읽습니다.

> 짧은바늘이 ■, 긴바늘이 12를 가리키면 '■시'라고 합니다.

✿ 몇 시 30분 알아보기

11:30

시계의 짧은바늘이 11과 12 사이에 있고, 긴바늘이 6을 가리키므로 11시 30분이고 열한 시 삼십 분이라고 읽습니다.

> 긴바늘이 6을, 짧은바늘이 ■와 다음 수 사이를 가리키면 '■시 30분'이라고 합니다.

✿ 규칙을 찾아 여러 가지 방법으로 나타내기

○	△	○	△	○	△
1	2	1	2	1	2

규칙 사과―귤 그림이 반복됩니다.

규칙을 그림으로 나타내기

사과 그림은 ○, 귤 그림은 △로 나타냅니다.

규칙을 수로 나타내기

사과 그림은 1, 귤 그림은 2로 나타냅니다.

✿ 수 배열표에서 규칙 찾아 보기

1	2	3	4	5	6	7	8	9	10
11	12	13	14	15	16	17	18	19	20
21	22	23	24	25	26	27	28	29	30
31	32	33	34	35	36	37	38	39	40
41	42	43	44	45	46	47	48	49	50
51	52	53	54	55	56	57	58	59	60

•••••에 있는 수	•••••에 있는 수
21부터 시작하여 오른쪽으로 1칸 갈 때마다 1씩 커집니다.	4부터 시작하여 아래쪽으로 1칸 갈 때마다 10씩 커집니다.

1 규칙에 따라 빈 곳에 알맞은 모양과 같은 모양의 물건을 모두 찾으려고 합니다. 물음에 답하세요.

❶ 모양을 놓은 규칙을 찾아 빈 곳에 알맞은 모양을 그려 보세요.

규칙 [ ] [ ] [ ] 모양이 반복됩니다.

❷ 규칙에 따라 빈 곳에 알맞은 모양을 그려 보세요.

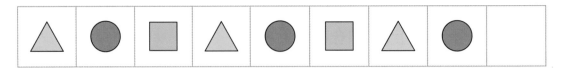

❸ ❷에서 찾은 모양과 같은 모양의 물건을 위에서 모두 찾아 ◯표 하세요.

2 규칙에 따라 빈 곳에 알맞은 모양을 그리고 규칙을 찾아 써 보세요.

(1)

| □ | ▲ | ● | □ | ▲ | ● | | | ● |

규칙 _____

(2)

| ♥ | ♥ | ★ | ♥ | ♥ | ★ | | | ★ |

규칙 _____

3 규칙을 찾아 쓰고 빈 곳에 알맞은 동물을 모두 찾아 ◯표 하세요.

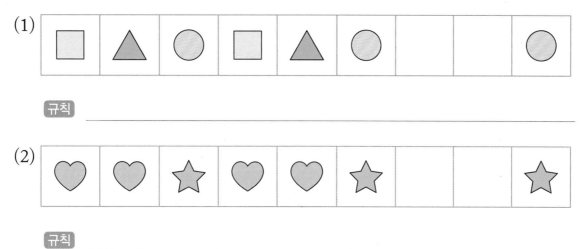

| 4 | 2 | 6 | 4 | 2 | 6 | | 2 | 6 |

규칙 4, 2, ☐ 이 반복되는 규칙이고 수와 같은 다리 수를 가진 동물 그림을 놓았습니다.

규칙에 따라 색칠하기

1 크리스마스 트리에 맨 위에서부터 규칙에 따라 빨간색, 파란색, 노란색 전구를 장식하였습니다. 빈 곳에 알맞은 전구의 색을 칠하려고 합니다. 물음에 답하세요.

① 전구의 색에서 규칙을 찾아 써 보세요.

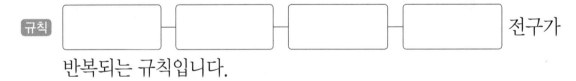

규칙 ☐ ─ ☐ ─ ☐ ─ ☐ 전구가

반복되는 규칙입니다.

② 빈 곳에 알맞은 전구의 색을 칠해 보세요.

2 규칙에 따라 색칠할 때 ㉠에는 어떤 색을 칠해야 하는지 써 보세요.

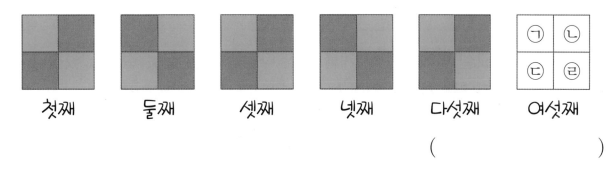

첫째　둘째　셋째　넷째　다섯째　여섯째

(　　　　　　　)

3 은우는 규칙을 정하여 2가지 색의 블록을 놓았습니다. 빈 곳을 모두 채웠을 때 2가지 색의 블록을 각각 몇 개씩 사용했는지 구해 보세요.

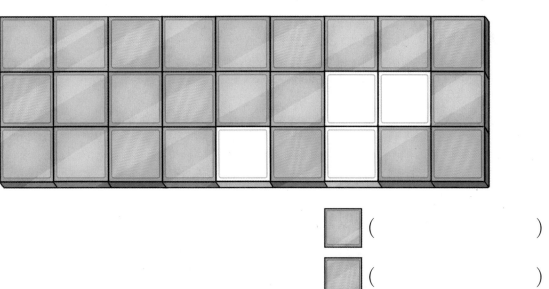

(　　　　　　　)

(　　　　　　　)

1 유주가 교실 벽에 걸린 시계를 보니 다음과 같이 잘못 걸려 있었습니다. 시계가 나타내는 시각을 읽어 보려고 합니다. 물음에 답하세요.

❶ 시계에서 짧은바늘은 몇과 몇 사이에 있을까요?

(   )

❷ 시계에서 긴바늘은 몇을 가리킬까요?

(   )

❸ 시계를 바르게 걸었을 때의 시각을 시계에 나타내고 읽어 보세요.

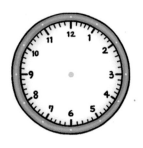

읽기 (   )

2 민아가 다음과 같이 시계를 거울에 비추어 보았습니다. 시계가 나타내는 시각을 써 보세요.

(   )

3 민호가 세수를 하고 있습니다. 화장실 거울에 비친 시계를 보고 민호가 세수를 하고 있는 시각을 써 보세요.

(   )

시각 구하기 (1)

추론

1 다영이가 설명하는 시각을 알아보려고 합니다. 물음에 답하세요.

- 긴바늘이 **6**을 가리킵니다.
- **3**시와 **5**시 사이의 시각입니다.
- **4**시보다 늦은 시각입니다.

다영

❶ 긴바늘이 **6**을 가리키는 시각 중 **3**시와 **5**시 사이의 시각을 시계에 모두 나타내고 써 보세요.

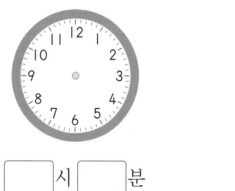

☐ 시 ☐ 분   ☐ 시 ☐ 분

❷ ❶에서 나타낸 시각 중 **4**시보다 늦은 시각을 써 보세요.

(   )

❸ 다영이가 설명하는 시각을 써 보세요.

(   )

2 영진이가 설명하는 시각을 시계에 나타내고 써 보세요.

· 긴바늘이 12를 가리킵니다.
· 3시와 6시 사이의 시각입니다.
· 4시 30분보다 빠른 시각입니다.

→ (   )

3 지우가 설명하는 시각을 시계에 나타내고 써 보세요.

· 긴바늘이 6을 가리킵니다.
· 8시와 10시 사이의 시각입니다.
· 9시보다 늦은 시각입니다.

→ (   )

유형 ⑤ 시각 구하기 (2)

1 민호가 집에서 할아버지 댁을 가는 동안 시계의 긴바늘이 두 바퀴 움직였습니다. 집에서 출발한 시각이 1시일 때 할아버지 댁에 도착한 시각을 알아보려고 합니다. 물음에 답하세요.

❶ 민호가 집에서 출발한 시각을 시계에 나타내어 보세요.

❷ 시계에서 긴바늘이 한 바퀴 움직이면 짧은바늘은 숫자 1칸을 움직입니다. □ 안에 알맞은 수를 써넣으세요.

1시에서 긴바늘이 한 바퀴 움직이면 짧은바늘은 숫자 □ 를 가리키고, 두 바퀴 움직이면 숫자 □ 을 가리킵니다.

❸ 민호가 할아버지 댁에 도착한 시각을 시계에 나타내고 몇 시인지 써 보세요.

➡ (   )

2 민우는 다음과 같이 긴바늘이 움직이는 동안 2시부터 점토 놀이를 하고 줄넘기를 했습니다. 긴바늘이 움직인 횟수에 따라 짧은바늘을 알맞게 그려 넣고 민우가 줄넘기를 끝낸 시각은 몇 시인지 구해 보세요.

(   )

3 진주는 11시에 영화를 보기 시작하였습니다. 긴바늘이 두 바퀴 반을 움직이는 동안 영화를 보았다면 영화가 끝난 시각을 시계에 나타내어 보세요.

[영화가 시작한 시각]　　　　　　　[영화가 끝난 시각]

규칙에 따라 수 찾기

코딩

1 규칙에 따라 수를 늘어놓았을 때 I0번째에 놓이는 수를 구하려고 합니다. 물음에 답하세요.

| I   2   4   5   7   8 ······ |

① 수의 규칙을 찾아 ☐ 안에 알맞은 수를 써넣으세요.

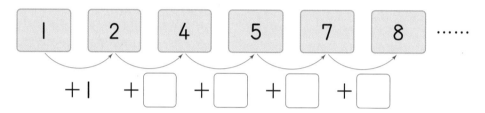

규칙 I부터 시작하여 더하는 수가 ☐과 ☐가 반복되는 규칙입니다.

② 규칙에 따라 빈 곳에 알맞은 수를 써넣으세요.

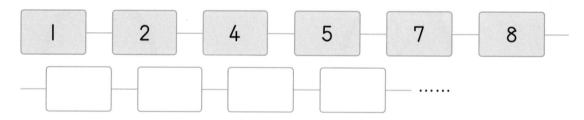

③ I0번째에 놓이는 수를 구해 보세요.

( )

2 규칙에 따라 수 카드를 놓았습니다. 15번째에 놓이는 수를 구해 보세요.

(1) 규칙을 찾아 써 보세요.

규칙 □ ─ □ ─ □ 가 반복되는 규칙입니다.

(2) 15번째에 놓이는 수를 구해 보세요.

(   )

3 보기 와 같은 규칙에 따라 수를 놓을 때 ★에 알맞은 수를 구해 보세요.

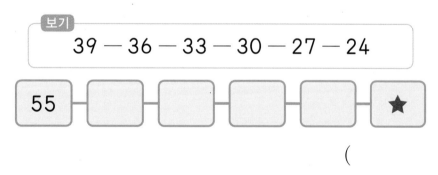

(   )

1 유민이의 계획표입니다. 계획대로 한 일의 시각을 시계에 나타내어 보세요.

수영하기	숙제하기
4시 30분	7시 30분

 →

2 시계를 다음과 같이 거울에 비추어 보았습니다. 시계가 나타내는 시각을 써 보세요.

(   )

3 규칙에 따라 빈 곳에 알맞은 그림에 ◯표 하세요.

(, ,)

4 규칙에 따라 빈 곳에 알맞은 수를 써넣으세요.

2 — 6 — 10 — 14 — ☁ — 22 — ☁

5 보기 를 이용하여 규칙적인 무늬를 만들어 보세요.

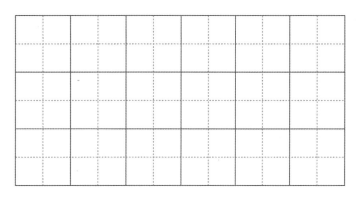

6 규칙에 따라 색칠하고 색칠한 수에 있는 규칙을 찾아 써 보세요.

61	62	63	64	65	66	67	68	69	70
71	72	73	74	75	76	77	78	79	80
81	82	83	84	85	86	87	88	89	90

규칙 62부터 시작하여 ☐씩 (작아지는 , 커지는) 규칙입니다.

7 승기, 호준, 은아가 오늘 아침에 일어난 시각입니다. 일찍 일어난 사람부터 순서대로 이름을 써 보세요.

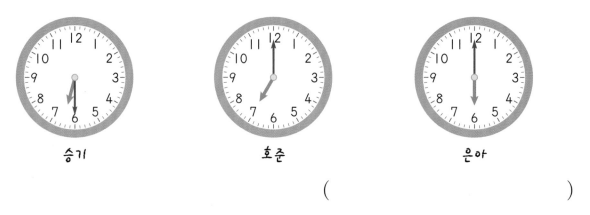

승기　　　　　　　호준　　　　　　　은아

(　　　　　　　　　　　　　　)

8 규칙에 따라 시각을 시계에 나타내어 보세요.

9 유진이는 ♩에 리듬 막대를 칩니다. 규칙에 맞게 악보를 완성했을 때 유진이는 리듬 막대를 몇 번 쳐야 할까요?

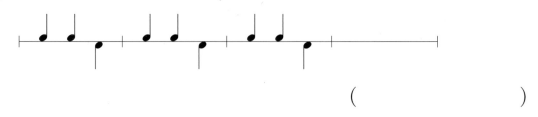

(　　　　　　　　　　　　　　)

10 시계의 짧은바늘과 긴바늘이 같은 숫자를 가리키는 시각을 시계에 나타내고 써 보세요.

(   )

11 민지는 도서관에서 시계의 긴바늘이 한 바퀴 움직이는 동안 책을 읽었습니다. 책을 읽기 시작한 시각이 4시일 때 책을 읽고 난 후의 시각을 구해 보세요.

(   )

12 빈칸에 알맞은 모양과 같은 모양의 물건은 모두 몇 개인지 구해 보세요.

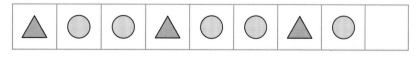

(   )

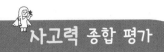
13 규칙에 따라 색칠해 보세요.

14 세형이가 설명하는 시각을 써 보세요.

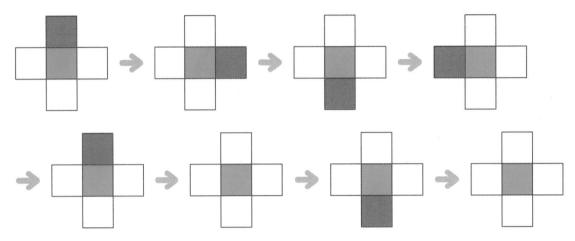

- 5시와 8시 사이의 시각입니다.
- 긴바늘이 숫자 12를 가리킵니다.
- 6시 30분보다 늦은 시각입니다.

(   )

15 규칙에 따라 수를 늘어놓았습니다. 10번째에 놓이는 수를 구해 보세요.

| 40 38 36 34 32 …… |

(   )

6 덧셈과 뺄셈 (3)

❊ 10을 이용하여 모으기와 가르기

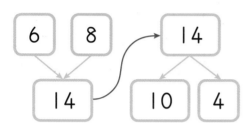

6과 8을 모으면 14이고 14는 10과 4로 가르기를 할 수 있습니다.

❊ 덧셈하기 (1), (2)

7+6=13
  3 3

앞의 수를 10을 만들어 더하는 방법입니다.

7+6=13
    3 4

뒤의 수를 10을 만들어 더하는 방법입니다.

❊ 덧셈하기 (3)

7+5=12	9+6=15
7+6=13	8+6=14
7+7=14	7+6=13
7+8=15	6+6=12

1씩 큰 수를 더하면 합도 1씩 커집니다.

1씩 작은 수를 더하면 합도 1씩 작아집니다.

❊ 뺄셈하기 (1)

16−9=7
     6 3

16에서 6을 먼저 빼고 남은 10에서 3을 뺍니다. ➡ 16에서 9를 빼면 7이 됩니다.

❊ 뺄셈하기 (2)

16−9=7
  10 6

10에서 9를 뺍니다. 남은 1과 6을 더하면 7입니다. ➡ 16에서 9를 빼면 7이 됩니다.

❊ 뺄셈하기 (3)

13−4=9	12−8=4
13−5=8	13−8=5
13−6=7	14−8=6
13−7=6	15−8=7

1씩 큰 수를 빼면 차는 1씩 작아집니다.

1씩 커지는 수에서 같은 수를 빼면 차는 1씩 커집니다.

1 진주, 예나, 호영이는 과녁 맞히기 놀이를 하였습니다. 점수를 가장 많이 얻은 사람을 알아보려고 합니다. 물음에 답하세요.

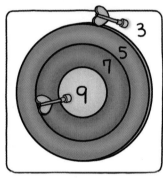

진주

예나

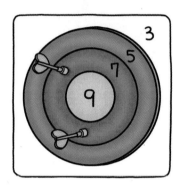

호영

❶ 진주는 몇 점을 얻었을까요?

(   )

❷ 예나는 몇 점을 얻었을까요?

(   )

❸ 호영이는 몇 점을 얻었을까요?

(   )

❹ 점수를 가장 많이 얻은 사람은 누구일까요?

(   )

2 세호와 재석이가 바둑돌을 다음과 같이 가지고 있습니다. 양손에 가지고 있는 바둑돌 수가 더 적은 사람은 누구인지 구해 보세요.

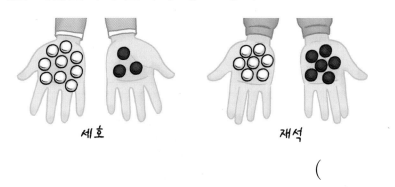

세호　　　　　　　재석

(　　　　　　　　　　)

3 두 모둠의 학생 수를 나타낸 표입니다. 어느 모둠이 몇 명 더 많은지 구해 보세요.

	남학생 수	여학생 수
가 모둠	5명	8명
나 모둠	7명	4명

(　　　　　　　　), (　　　　　　　　)

1 15명이 빨간색, 파란색, 노란색 보트 3곳에 모두 나누어 탔습니다. 각 보트에 탄 사람은 몇 명인지 구하려고 합니다. 물음에 답하세요.

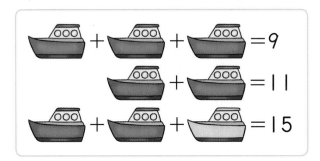

❶ 🚤 에 탄 사람 수를 구해 보세요.

( )

❷ 🚤 에 탄 사람 수를 구해 보세요.

( )

❸ 🚤 에 탄 사람 수를 구해 보세요.

( )

2 지은이는 가지고 있던 구슬을 빨간색, 파란색, 초록색 주머니 3곳에 모두 나누어 담았습니다. 빨간색 주머니에 구슬을 4개 넣었다면 지은이가 가지고 있던 구슬은 모두 몇 개인지 구해 보세요.

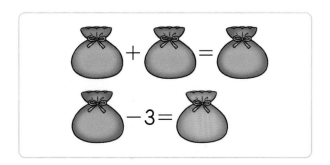

(1) 에 들어 있는 구슬의 수를 구해 보세요.

(   )

(2) 에 들어 있는 구슬의 수를 구해 보세요.

(   )

(3) 지은이가 가지고 있던 구슬은 모두 몇 개인지 구해 보세요.

(   )

1 두 수의 합이 가운데에 있는 행성의 수가 되도록 두 별을 짝지어 모두 연결 하려고 합니다. 물음에 답하세요.

❶ 두 수의 합을 구해 보세요.

$9+2=$ ☐ $9+8=$ ☐ $9+5=$ ☐

$9+7=$ ☐ $9+6=$ ☐ $2+8=$ ☐

$2+5=$ ☐ $2+7=$ ☐ $2+6=$ ☐

$8+5=$ ☐ $8+7=$ ☐ $8+6=$ ☐

$5+7=$ ☐ $5+6=$ ☐ $7+6=$ ☐

❷ 합이 14가 되는 두 수를 모두 찾아 쓰고 그림에 선으로 연결해 보세요.

(☐ , ☐), (☐ , ☐)

2 두 수의 합이 ▨ 안의 수가 되도록 모두 연결해 보세요.

(1)

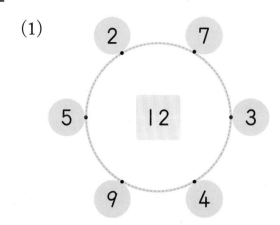

(2)

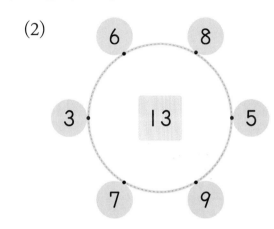

3 시계에서 두 수의 합이 주어진 수가 되도록 모두 연결해 보세요.

(1) 11

(2) 15

유형 ④ □ 안에 알맞은 수 찾기

코딩

1 □ 안에 알맞은 수를 구하여 미로를 통과하려고 합니다. 물음에 답하세요.

❶ 6+8=□에서 □ 안에 알맞은 수를 구해 보세요.

(   )

❷ □ 안에 알맞은 수를 구하여 미로를 통과해 보세요.

2 □ 안에 알맞은 수를 구하여 더 큰 수를 따라가면 영준이의 신발을 찾을 수 있다고 합니다. 영준이의 신발을 찾아 ○표 하세요.

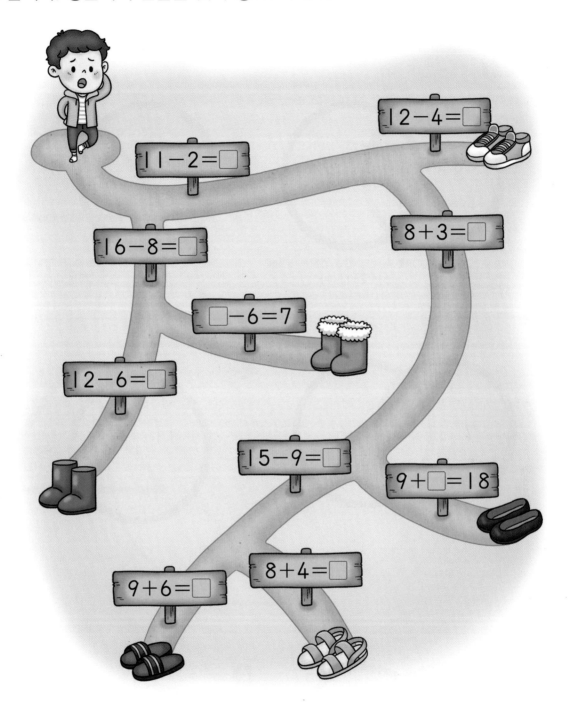

계산 규칙 찾기

추론

1 보기 와 같은 규칙으로 계산하여 빈 곳에 알맞은 수를 써넣으세요.

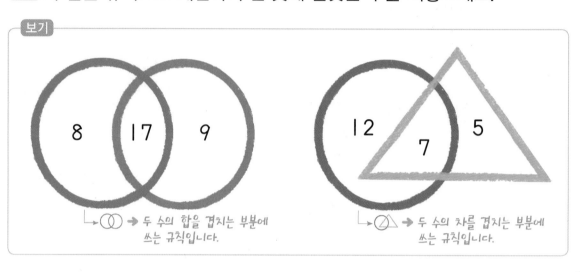

보기

↳ ⊚ → 두 수의 합을 겹치는 부분에 쓰는 규칙입니다.

↳ △ → 두 수의 차를 겹치는 부분에 쓰는 규칙입니다.

❶
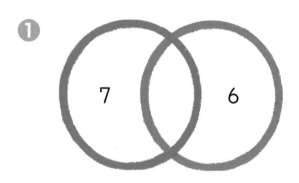

❷
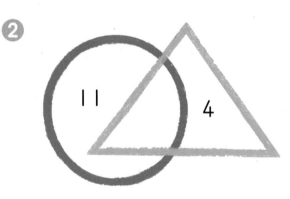

❸
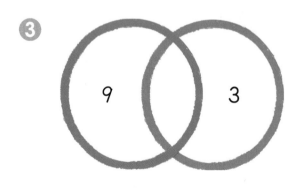

❹
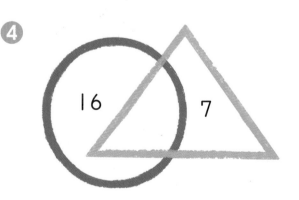

2 보기 의 규칙에 따라 바구니에 알맞은 수를 써넣으세요.

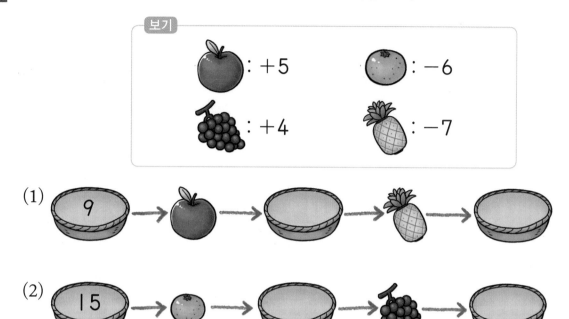

3 보기 와 같은 규칙으로 계산하여 빈칸에 알맞은 수를 써넣으세요.

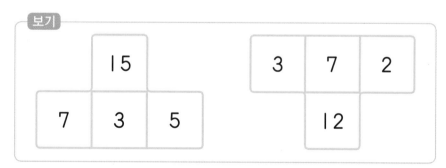

(1)

	16	
8		2

(2)

	5	4
	18	

1 디지털 숫자를 이용하여 덧셈식과 뺄셈식을 완성하려고 합니다. 물음에 답하세요.

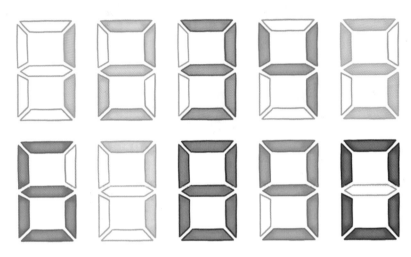

❶ 디지털 숫자를 이용하여 두 수의 합이 15가 되도록 색칠해 보세요.

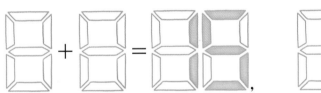,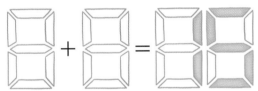

❷ 디지털 숫자를 이용하여 두 수의 차가 6과 8이 되도록 색칠해 보세요.

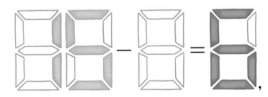,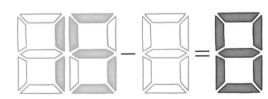

2 다음 중 합이 14가 되는 두 수를 찾아 디지털 숫자의 덧셈식으로 나타내어 보세요.

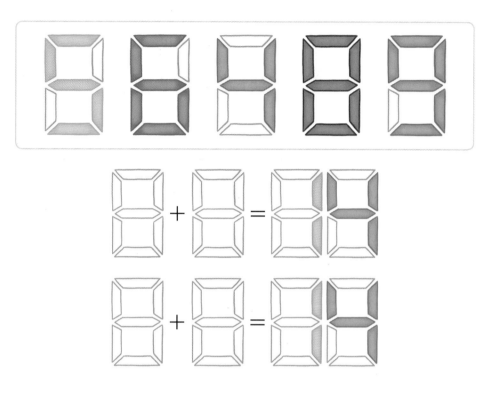

3 다음 3개의 수 중 2개의 수를 골라 만들 수 있는 (몇)+(몇)의 계산 결과가 서로 다른 경우는 모두 몇 가지인지 구해 보세요.

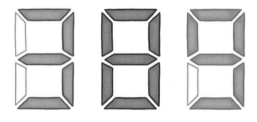

(   )

1 연결된 두 수의 합을 아래의 빈 곳에 써넣으세요.

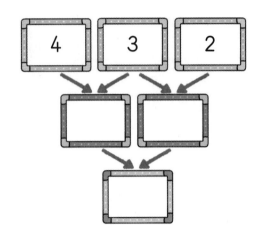

2 합이 13이 되도록 두 수를 이어 보세요.

3 지우네 어머니께서 요리를 하실 때 오이 6개, 가지 5개, 고추 7개를 사용하셨습니다. 사용한 채소는 모두 몇 개인지 구해 보세요.

(   )

4 두 수의 합이 큰 것부터 순서대로 점을 이어 보세요.

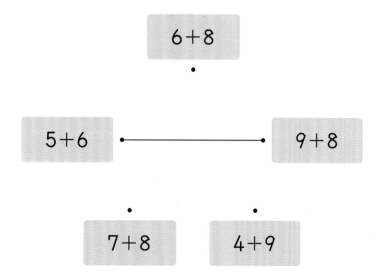

5 ㉠과 ㉡에 알맞은 수의 합을 구해 보세요.

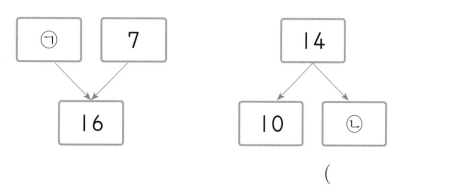

(   )

6 수지는 사탕이 15개 있었습니다. 언니에게 7개를 주고 몇 개를 먹었더니 사탕이 5개 남았습니다. 수지가 먹은 사탕은 몇 개일까요?

(   )

7 두 수의 합이 ▨ 안의 수가 되도록 모두 연결해 보세요.

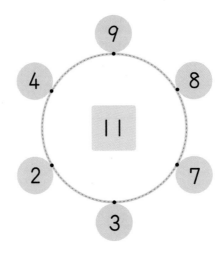

8 다음 중 합이 12가 되는 두 수를 찾아 디지털 숫자의 덧셈식으로 나타내어 보세요.

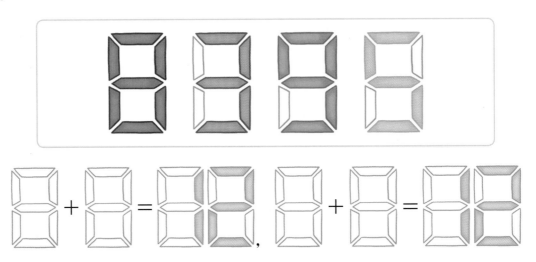

9 연필과 색연필은 각각 몇 자루씩 통에 들어 있는지 구해 보세요.

10 □ 안에 알맞은 수가 적힌 곳을 차례로 지나 다람쥐의 먹이를 찾아가는 길을 그려 보세요.

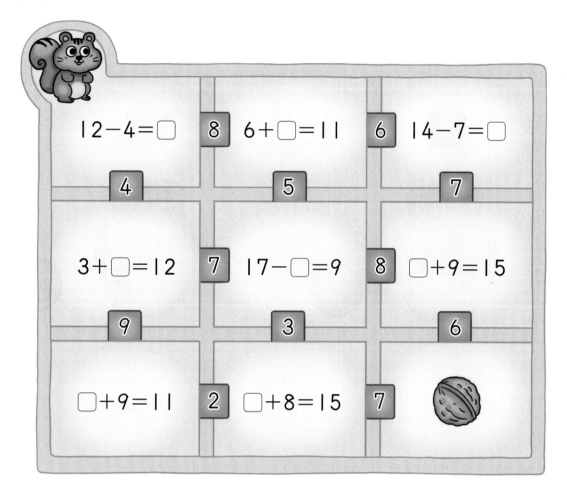

11 ○ 안에 3부터 9까지의 수 중에서 하나를 써넣고 덧셈식과 뺄셈식을 완성해 보세요.

(1) $7 + \bigcirc = \boxed{}$

(2) $12 - \bigcirc = \boxed{}$

12 세 수의 계산은 앞에서부터 차례로 계산합니다. ○ 안에 +, −를 알맞게 써넣어 식이 성립하도록 완성해 보세요.

(1) $9 \bigcirc 4 \bigcirc 7 = 6$

(2) $14 \bigcirc 6 \bigcirc 8 = 16$

13 보기 와 같이 어떤 수를 넣으면 넣은 수보다 얼마만큼 더 작은 수가 깨진 곳으로 나오는 항아리가 있습니다. 14를 항아리에 넣으면 어떤 수가 나오는지 구해 보세요.

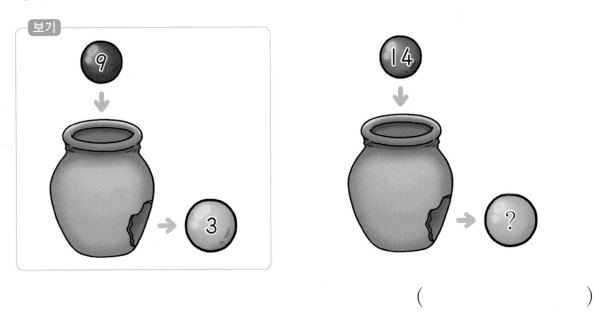

(   )

14 보기 와 같은 규칙으로 빈 곳에 알맞은 수를 써넣으세요.

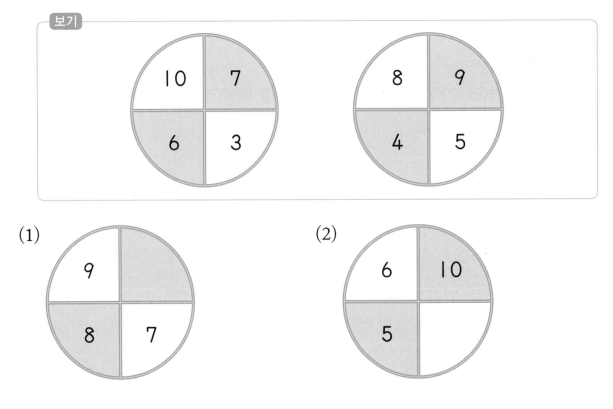

(1)   (2)

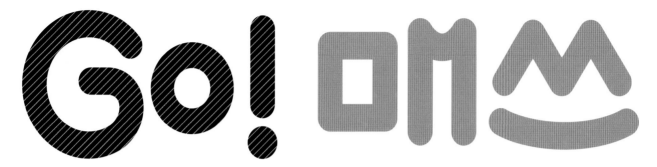

교과서 GO! 사고력 GO!

GO! 매쓰

Jump
유형 사고력

정답과 풀이

수학 1-2

열심히
풀었으니까,
한 번 맞춰 볼까?

Go! 매쓰 Jump

정답과 풀이

수학 1-2

유형 ① 두 수 사이에 있는 수 구하기 〔문제 해결〕

1 사물함이 번호 순서대로 놓여 있습니다. 물음에 답하세요.

63	68	73	78	83
64	69	74	79	84
65	70	75	80	85
66	71	76	81	86
67	72	77	82	87

❶ 번호가 지워진 사물함에 알맞은 번호를 써넣으세요.

❷ 65와 71 사이에 있는 수는 몇 개일까요?

(**5개**)

✦ 65 − 66 − 67 − 68 − 69 − 70 − 71이므로 65와 71 사이에 있는 수는 5개입니다.

❸ 79와 86 사이에 있는 수는 몇 개일까요?

(**6개**)

✦ 79 − 80 − 81 − 82 − 83 − 84 − 85 − 86이므로 79와 86 사이에 있는 수는 6개입니다.

6 · Jump 1-2

정답과 풀이 2쪽

2 수를 순서대로 썼을 때 56과 60 사이에 있는 수를 모두 찾아 ○표 하세요.

| 52 | (58) | 62 | (59) | 61 |

✦ 56 − 57 − 58 − 59 − 60이므로 56과 60 사이에 있는 수는 58, 59입니다.

3 수를 순서대로 썼을 때 ㉠과 ㉡ 중에서 두 수 사이에 있는 수가 더 많은 것의 기호를 써 보세요.

 ㉠ 62   70

 ㉡ 85   92

(1) 62와 70 사이에 있는 수는 몇 개일까요?

(**7개**)

✦ 62 − 63 − 64 − 65 − 66 − 67 − 68 − 69 − 70 이므로 62와 70 사이에 있는 수는 7개입니다.

(2) 85와 92 사이에 있는 수는 몇 개일까요?

(**6개**)

✦ 85 − 86 − 87 − 88 − 89 − 90 − 91 − 92이므로 85와 92 사이에 있는 수는 6개입니다.

(3) ㉠과 ㉡ 중에서 두 수 사이에 있는 수가 더 많은 것의 기호를 써 보세요.

(**㉠**)

✦ ㉠: 7개, ㉡: 6개
→ 7 > 6

1. 100까지의 수 · 7

유형 ② 몇십몇 만들기 〔문제 해결〕

1 3장의 수 카드 중에서 2장을 뽑아 만들 수 있는 몇십몇을 모두 구해 보세요.

| 1 | 6 | 8 |

❶ 빈 곳에 알맞은 수를 써넣으세요.

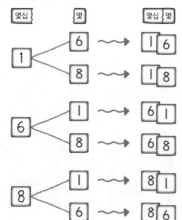

| 몇십 | 몇 | 몇십 몇 |

1 → 6 ⤳ 16
1 → 8 ⤳ 18
6 → 1 ⤳ 61
6 → 8 ⤳ 68
8 → 1 ⤳ 81
8 → 6 ⤳ 86

❷ 만들 수 있는 몇십몇을 모두 써 보세요.

(16, 18, 61, 68, 81, 86)

8 · Jump 1-2

정답과 풀이 2쪽

2 3장의 수 카드 중에서 2장을 뽑아 몇십몇을 만들려고 합니다. 만들 수 있는 수를 모두 써 보세요.

| 4 | 7 | 9 |

(47, 49, 74, 79, 94, 97)

3 3장의 수 카드 중에서 2장을 뽑아 몇십 또는 몇십몇을 만들려고 합니다. 만들 수 있는 수를 모두 써 보세요.

| 8 | 0 | 5 |

(50, 58, 80, 85)

✦ 만들 수 있는 수는 80, 85, 58, 50입니다.

4 3장의 수 카드 중에서 2장을 뽑아 몇십몇을 만들려고 합니다. 만들 수 있는 수 중에서 홀수는 모두 몇 개인지 구해 보세요.

| 3 | 8 | 7 |

(**4개**)

✦ 만들 수 있는 몇십몇은 37, 38, 73, 78, 83, 87입니다. 이 중에서 홀수는 37, 73, 83, 87로 모두 4개입니다.

1. 100까지의 수 · 9

유형 ③ 짝수와 홀수

1 도로명 주소의 규칙을 알아보고 빈 곳에 알맞은 수를 써넣으세요.

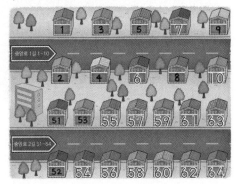

❶ 중앙로 1길 1~10 에는 1부터 10까지의 수가 쓰여져 있는데
길의 위쪽에는 (짝수, (홀수))를, 아래쪽에는 ((짝수) 홀수)를 번갈아 가며
차례대로 쓰는 규칙입니다.

❷ 중앙로 2길 51~64 에는 51 부터 64 까지의 수가 쓰여지고
길의 위쪽에는 (짝수, (홀수))를, 아래쪽에는 ((짝수) 홀수)를 번갈아 가며
차례대로 쓰는 규칙입니다.

❸ 빈 곳에 알맞은 수를 써넣으세요.

2 순서를 생각하여 짝수와 홀수를 써넣으세요.

(1) 짝수   (2) 홀수

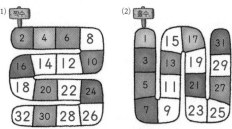

✤ 짝수끼리, 홀수끼리는 각각 2씩 커지는 규칙이 있습니다.

3 주어진 수에서 짝수와 홀수를 찾아 나무를 꾸며 보세요.

짝수	홀수	
63	70	24
31	56	47
29	85	92

✤ 짝수: 70, 24, 56, 92
홀수: 63, 31, 47, 29, 85

유형 ④ 수의 크기 비교하기

1 설명하는 두 수의 크기를 비교하려고 합니다. 물음에 답하세요.

쉰둘보다 1만큼 더 큰 수	10개씩 묶음이 5개이고 낱개가 4개인 수

❶ 쉰둘보다 1만큼 더 큰 수는 얼마일까요?

(**53**)

✤ 쉰둘은 52입니다. 52보다 1만큼 더 큰 수는 53입니다.

❷ 10개씩 묶음이 5개이고 낱개가 4개인 수는 얼마일까요?

(**54**)

❸ □ 안에 알맞은 수를 쓰고 ○ 안에 >, <를 알맞게 써넣으세요.

2 □ 안에 알맞은 수를 쓰고 ○ 안에 >, <를 알맞게 써넣으세요.

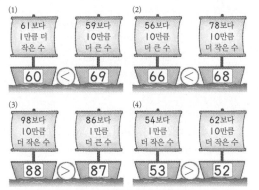

(1) 61보다 1만큼 더 작은 수 → 60 < 59보다 10만큼 더 큰 수 → 69

(2) 56보다 10만큼 더 큰 수 → 66 < 78보다 10만큼 더 작은 수 → 68

(3) 98보다 10만큼 더 작은 수 → 88 > 86보다 1만큼 더 큰 수 → 87

(4) 54보다 1만큼 더 작은 수 → 53 > 62보다 10만큼 더 작은 수 → 52

✤ 10만큼 더 큰 수는 10개씩 묶음의 수가 1만큼 더 크고
10만큼 더 작은 수는 10개씩 묶음의 수가 1만큼 더 작습니다.

3 짝수와 홀수로 구분한 뒤 □ 안에 알맞은 수를 써넣으세요.

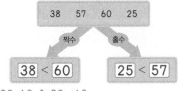

| 38 | 57 | 60 | 25 |

짝수   홀수

| 38 < 60 | 25 < 57 |

✤ 짝수: 38, 60 ➜ 38<60
홀수: 57, 25 ➜ 25<57

유형 ⑤ ▲만큼 더 큰 수, ▲만큼 더 작은 수 · 문제 해결

정답과 풀이 4쪽

1 75보다 5만큼 더 큰 수와 75보다 5만큼 더 작은 수를 각각 구하려고 합니다. 물음에 답하세요.

| 70 | ← 5만큼 더 작은 수 | 75 | 5만큼 더 큰 수 → | 80 |

❶ 75부터 수를 순서대로 세어 써 보세요.

75 — 76 — 77 — 78 — 79 — 80

5만큼 더 큰 수

❷ 75보다 5만큼 더 큰 수는 얼마일까요?

(80)

❸ 75부터 수를 거꾸로 세어 써 보세요.

70 — 71 — 72 — 73 — 74 — 75

5만큼 더 작은 수

❹ 75보다 5만큼 더 작은 수는 얼마일까요?

(70)

14 · Jump 1-2

2 개구리가 🪧 안의 수만큼씩 큰 수를 따라가면 집을 찾아갈 수 있다고 합니다.
🡒 표시를 하면서 뛰어 가 보세요.

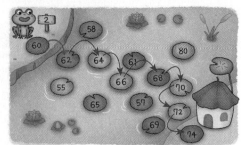

✦ 60부터 2만큼씩 큰 수를 차례로 쓰면
60 – 62 – 64 – 66 – 68 – 70 – 72 – 74입니다.

3 빈칸에 알맞은 수를 써넣으세요.

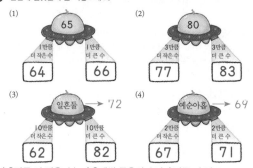

(1)
65
1만큼 더 작은 수 / 1만큼 더 큰 수
64 / 66

(2)
80
3만큼 더 작은 수 / 3만큼 더 큰 수
77 / 83

(3)
일흔둘 🡒 72
10만큼 더 작은 수 / 10만큼 더 큰 수
62 / 82

(4)
예순아홉 🡒 69
2만큼 더 작은 수 / 2만큼 더 큰 수
67 / 71

✦ (3) 10만큼 더 작은 수는 10개씩 묶음의 수가 1만큼 더 작고
10만큼 더 큰 수는 10개씩 묶음의 수가 1만큼 더 큽니다.

(4) 2만큼 더 작은 수 2만큼 더 큰 수
67 – 68 – 69 – 70 – 71

1. 100까지의 수 · 15

유형 ⑥ 조건에 맞는 수 구하기 · 정보 처리

정답과 풀이 4쪽

1 조건 에 맞는 수가 모두 몇 개인지 구하려고 합니다. 물음에 답하세요.

조건
• 60보다 크고 70보다 작습니다.
• 짝수입니다.

❶ 60보다 크고 70보다 작은 수를 모두 써 보세요.

(61, 62, 63, 64, 65, 66, 67, 68, 69)

✦ 61부터 69까지의 수를 모두 씁니다.

❷ ❶에서 쓴 수 중 짝수를 모두 써 보세요. (62, 64, 66, 68)

✦ 낱개의 수가 2, 4, 6, 8, 0이면 짝수입니다.

❸ 조건에 맞는 수는 모두 몇 개일까요?

(4개)

16 · Jump 1-2

2 조건 에 맞는 수를 구하려고 합니다. 🔵 안에 알맞은 수를 써넣으세요.

(1) **조건**
• 53보다 크고 58보다 작습니다.
• 홀수입니다.

100까지의 수

53보다 크고 58보다 작습니다.
↓
54, 55, 56, 57
↓
홀수입니다.
↓
55, 57

(2) **조건**
• 10개씩 묶음의 수가 7입니다.
• 낱개의 수가 10개씩 묶음의 수보다 큽니다.

100까지의 수

10개씩 묶음의 수가 7입니다.
↓
70, 71, 72, 73, 74, 75, 76, 77, 78, 79
↓
10개씩 묶음의 수가 낱개의 수보다 작습니다.
↓
78, 79

3 조건 에 맞는 수는 모두 몇 개인지 구해 보세요.

(1) **조건**
17보다 작은 홀수

(8개)

(2) **조건**
10개씩 묶음의 수와
낱개의 수가 같은 몇십몇

(9개)

✦ (1) 17보다 작은 홀수는 1, 3, 5, 7, 9, 11, 13, 15로 모두 8개입니다.

(2) 10개씩 묶음의 수와 낱개의 수가 같은 몇십몇은
11, 22, 33, 44, 55, 66, 77, 88, 99로 모두 9개입니다.

1. 100까지의 수 · 17

정답과 풀이 5쪽

사고력 종합 평가

1 3장의 수 카드 중에서 2장을 뽑아 몇십몇을 만들려고 합니다. 만들 수 있는 수 중에서 짝수는 모두 몇 개일까요?

(**4개**)

✤ 만들 수 있는 몇십몇은 25, 26, 52, 56, 62, 65입니다.
이 중에서 짝수는 26, 52, 56, 62로 모두 4개입니다.

2 영진이는 친구들과 도토리를 땄습니다. 도토리를 가장 많이 딴 사람은 누구인지 구해 보세요.

(**동혁**)

✤ 10개씩 묶음의 수를 비교하면 8이 가장 크므로 도토리를 가장 많이 딴 사람은 10개씩 묶음의 수가 8인 동혁입니다.

3 어떤 수보다 1만큼 더 큰 수는 87입니다. 어떤 수보다 1만큼 더 작은 수는 얼마일까요?

(**85**)

✤ 어떤 수보다 1만큼 더 큰 수가 87이므로 어떤 수는 87보다 1만큼 더 작은 수인 86입니다.
따라서 어떤 수보다 1만큼 더 작은 수는 85입니다.

4 수의 순서를 생각하여 ● 안에 있는 수의 자리를 찾아 이어 보세요.

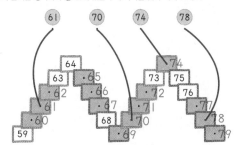

✤ 수를 순서대로 써 본 후 주어진 수의 자리를 찾아봅니다.

5 상자를 번호 순서대로 쌓았습니다. □ 안에 알맞은 번호를 써넣으세요.

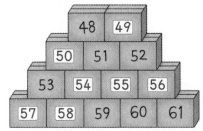

6 수를 순서대로 썼을 때 55와 60 사이에 있는 수를 모두 찾아 써 보세요.

| 53 | 57 | 60 | 59 | 62 |

(**57, 59**)

✤ 55 − 56 − 57 − 58 − 59 − 60이므로 55와 60 사이에 있는 수는 57과 59입니다.

정답과 풀이 5쪽

사고력 종합 평가

7 농장에서 귤을 서연이는 62개, 연지는 80개 땄습니다. 준호는 연지보다 1개 더 적게 땄습니다. 귤을 많이 딴 사람부터 순서대로 이름을 써 보세요.

(**연지, 준호, 서연**)

✤ 80보다 1만큼 더 작은 수는 79이므로 준호는 79개를 땄습니다.
10개씩 묶음의 수를 비교하면 8>7>6이므로 연지(80개), 준호(79개), 서연(62개)의 순서대로 귤을 많이 땄습니다.

8 □ 안에 알맞은 수를 쓰고 ○ 안에 >, <를 알맞게 써넣으세요.

| 85 | ⟩ | 83 |

✤ 84보다 1만큼 더 큰 수는 85이고, 73보다 10만큼 더 큰 수는 83입니다. ➡ 85>83
　　　　　　5>3

9 주어진 수 중 없는 수를 찾아 □ 안에 써넣으세요.

(1) 　(2)

✤ (1) 62부터 74까지의 수를 순서대로 찾아보며 없는 수를 구합니다.

10 빈 곳에 주어진 수만큼씩 큰 수를 차례로 써 보세요.

(1) 2 72 − 74 − **76** − **78** − **80** − **82**

(2) 5 50 − 55 − **60** − **65** − **70** − **75**

✤ (1) 72부터 2씩 커지는 수를 순서대로 씁니다.
(2) 50부터 5씩 커지는 수를 순서대로 씁니다.

11 수직선에서 ㉠이 나타내는 수는 얼마인지 구해 보세요.

(1)
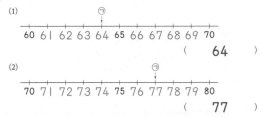

60 61 62 63 64 65 66 67 68 69 70

(**64**)

(2)

70 71 72 73 74 75 76 77 78 79 80

(**77**)

✤ (1) ㉠이 나타내는 수는 65보다 1만큼 더 작은 수인 64입니다.
(2) ㉠이 나타내는 수는 75보다 2만큼 더 큰 수인 77입니다.

12 연필이 10자루씩 묶음 6개와 낱개 13자루가 있습니다. 연필은 모두 몇 자루인지 구해 보세요.

(**73자루**)

✤ 낱개 13자루는 10자루씩 묶음 1개와 낱개 3자루입니다.
따라서 연필은 10자루씩 묶음 7개와 낱개 3자루이므로 모두 73자루입니다.

22쪽

사고력 종합 평가
정답과 풀이 6쪽

13 화살표를 다음과 같이 약속 할 때 ㉠에 알맞은 수를 구해 보세요.

약속
→ : |만큼 더 큰 수
← : |만큼 더 작은 수
↓ : |0만큼 더 큰 수
↑ : |0만큼 더 작은 수

(84)

❖ ㉮ 85보다 |만큼 더 큰 수: 86
㉯ 86보다 |0만큼 더 큰 수: 96
㉰ 96보다 |만큼 더 작은 수: 95
㉱ 95보다 |만큼 더 작은 수: 94
㉠ 94보다 |0만큼 더 작은 수: 84

14 다음 수가 짝수일 때 0부터 9까지의 수 중에서 □ 안에 들어갈 수 있는 수를 모두 써 보세요.

4□

(0, 2, 4, 6, 8)

❖ 낱개의 수가 2, 4, 6, 8, 0이면 짝수입니다.

15 5|부터 |00까지의 수를 차례대로 쓸 때 숫자 7은 모두 몇 번 쓰게 되는지 구해 보세요.

(|5번)

❖ • 낱개의 수에 숫자 7을 쓰는 경우: 5**7**, 6**7**, 7**7**, 8**7**, 9**7** → 5번
• |0개씩 묶음의 수에 숫자 7을 쓰는 경우:
70, **7**|, **7**2, **7**3, **7**4, **7**5, **7**6, **7**7, **7**8, **7**9 → |0번
→ 숫자 7은 모두 |5번 쓰게 됩니다.

[GO! 매쓰]
여기까지 1단원 내용입니다.
다음부터는 2단원 내용이
시작합니다.

24쪽 ~ 25쪽

유형 ① **올바른 덧셈식, 뺄셈식 찾기**   문제 해결

정답과 풀이 6쪽

1 보기 와 같이 올바른 덧셈식이 되도록 선을 그어 보세요.

보기
+3
20 +6 =25 → 20+5=25
+5

❶
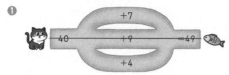
+7
40 +9 =49
+4

❖ 40+7=47
40+9=49(○)
40+4=44

❷
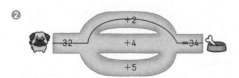
+2
32 +4 =34
+5

❖ 32+2=34(○)
32+4=36
32+5=37

2 올바른 뺄셈식이 되도록 선을 그어 보세요.

(1)
33 25 47
－
|3
＝
34

(2)
73 57 60
－
40
＝
|7

❖ (1) 33－|3=20   (2) 73－40=33
25－|3=|2   57－40=|7(○)
47－|3=34(○)   60－40=20

3 보기 와 같이 상자 안에 있는 두 수의 합 또는 차가 🍀와 💙에 쓰여져 있습니다. 알맞은 두 수를 찾아 ○표 하세요.

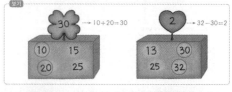

보기
🍀 30 →|0+20=30
10 15
(20) 25

💙 2 →32－30=2
13 (30)
25 (32)

(1)
🍀 58
(15) 20
46 (43)

(2)
💙 5
(31) 40
33 (36)

❖ (1) |5+43=58   (2) 36－3|=5

유형 **②** 규칙 찾아 계산하기 [추론]

정답과 풀이 7쪽

1 벽돌을 보기 의 규칙에 따라 쌓고 있습니다. 물음에 답하세요.

보기

❶ □ 안에 알맞은 수를 써넣고 벽돌을 쌓은 규칙을 찾아보세요.

$10+11=\boxed{21}$, $11+20=\boxed{31}$, $21+31=\boxed{52}$

규칙 나란히 놓인 두 칸에 쓰인 수의 (합), 차)을/를 아래 칸에 쓰는 규칙입니다.

❷ 보기 의 규칙에 따라 벽돌을 쌓으려고 합니다. 빈 곳에 알맞은 수를 써넣으세요.

(1)  (2)

✣ (1) $21+41=\boxed{35}$ ⎰ $35+34=\boxed{69}$
　　 $14+20=\boxed{34}$

✣ (2) $11+22=\boxed{33}$ ⎰ $33+52=\boxed{85}$
　　 $22+30=\boxed{52}$

---

2 보기 에서 규칙을 찾고 그 규칙에 따라 빈 곳에 알맞은 수를 써넣으세요.

(1) 보기

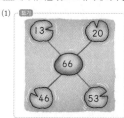 

규칙 돌에 적힌 수는 같은 색선으로 연결된 두 잎에 적힌 수의 (합), 차)입니다.

✣ $13+53=66$, $20+46=66$이므로 돌에 적힌 수는 같은 색선으로 연결된 두 수의 합입니다.

➡ 돌에 적힌 수는 $42+10=52$이고 $11+□=52$입니다.
　 $11+41=52$이므로 □=41입니다.

(2) 보기

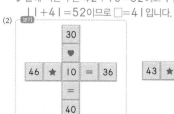 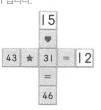

규칙 ♥는 두 수의 (합), 차)을/를 구하고, ★은 두 수의 (합 , 차)을/를 구합니다.

✣ $30+10=40$, $46-10=36$이므로 ♥는 두 수의 합을, ★은 두 수의 차를 구합니다.

➡ □♥31=46이므로 □+31=46입니다.
　 $15+31=46$이므로 □=15입니다.
　 $43★31=43-31=12$

유형 **③** 빈칸에 알맞은 수 찾기 [추론]

정답과 풀이 7쪽

1 보기 와 같이 ○ 안에 알맞은 수를 써넣으세요.

보기

❶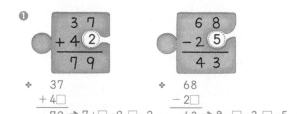

✣ 　 37
　 $+4□$
　 $\overline{\quad79\quad}$ ➡ $7+□=9$, □=2

✣ 　 68
　 $-2□$
　 $\overline{\quad43\quad}$ ➡ $8-□=3$, □=5

❷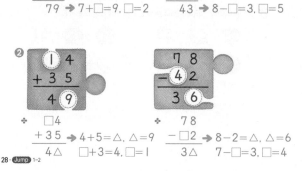

✣ 　 □4
　 $+35$
　 $\overline{\quad4△\quad}$ ➡ $4+5=△$, △=9
　　　　　　 $□+3=4$, □=1

✣ 　 78
　 $-□2$
　 $\overline{\quad3△\quad}$ ➡ $8-2=△$, △=6
　　　　　　 $7-□=3$, □=4

---

2 가장 아랫줄부터 선으로 연결된 순서에 따라 계산하는 퍼즐이 있습니다. 빈 곳에 알맞은 수를 써넣어 퍼즐을 완성해 보세요.

(1) 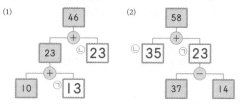 (2)

✣ (1) · $10+㉠=23$에서 $10+13=23$이므로 ㉠=13입니다.
　　 · $23+㉡=46$에서 $23+23=46$이므로 ㉡=23입니다.

(2) · $37-14=㉠$, ㉠=23입니다.
　　 · $㉡+㉠=58$ ➡ $㉡+23=58$에서 $35+23=58$이므로 ㉡=35입니다.

(3)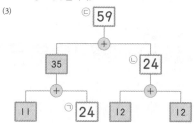

✣ · $11+㉠=35$에서 $11+24=35$이므로 ㉠=24입니다.
　 · $12+12=㉡$, ㉡=24
　 · $35+㉡=㉢$ ➡ $35+24=59$, ㉢=59

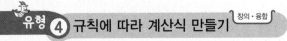

유형 ④ 규칙에 따라 계산식 만들기 `창의·융합`

정답과 풀이 8쪽

1 `보기`와 같이 동물 그림을 수로 나타내고 덧셈식과 뺄셈식을 만들어 계산해 보세요.

`보기`

오리 뱀 + 토끼 호랑이

2 0 + 4 4 = 64

❶ `보기`의 동물 그림을 수로 나타낸 규칙을 찾아보세요.

동물의 (꼬리 수 , (다리 수))를 이용하여 몇십몇으로 나타내고 계산하는 규칙입니다.

❖ 오리의 다리 수: 2, 뱀의 다리 수: 0, 토끼의 다리 수: 4,
호랑이의 다리 수: 4 ➡ 20+44=64

❷
고양이 닭 + 독수리 메뚜기

➡ $4$2 + $2$6 = 68

❖ 고양이의 다리 수: 4, 닭의 다리 수: 2, 독수리의 다리 수: 2,
메뚜기의 다리 수: 6 ➡ 42+26=68

❸
토끼 문어 − 낙타 병아리

➡ $4$8 − $4$2 = 6

❖ 토끼의 다리 수: 4, 문어의 다리 수: 8, 낙타의 다리 수: 4,
병아리의 다리 수: 2 ➡ 48−42=6

30 · Jump 1-2

2 자음자와 모음자가 만나서 글자가 됩니다. `보기`와 같이 각 글자의 자음자와 모음자의 수를 세어 몇십몇으로 나타내고 덧셈식과 뺄셈식을 만들어 계산해 보세요.

`보기` → 자음자와 모음자의 수가 3개입니다.

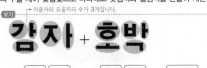

3 2 + 2 3 = 55

⑴ 오이 + 당근

➡ $2$2 + $3$3 = 55

❖ 오이 + 당근
2 2 3 3 ➡ 22+33=55

⑵ 구슬 + 바람

➡ $2$3 + $2$3 = 46 ❖ 구슬 + 바람
2 3 2 3 ➡ 23+23=46

⑶ 장미 − 나비

➡ 3$2$ − $2$2 = 10

❖ 장미 − 나비
3 2 2 2 ➡ 32−22=10

2. 덧셈과 뺄셈(1) · 31

유형 ⑤ 그림이 나타내는 수 구하기 `정보 처리`

정답과 풀이 8쪽

1 `보기`와 같이 각각의 그림이 나타내는 수를 구해 보세요.

`보기`

10+10=● ➡ ● (20)
●+14=▲ ➡ ▲ (34)

❶
15+20=▲
▲+23=★
➡ ▲ (35), ★ (58)

❖ ·15+20=▲ ➡ 15+20=35, ▲=35
·▲+23=★ ➡ 35+23=58, ★=58

❷
33 − 20 = ⚽
⚽ + 15 = 🏐
➡ ⚽ (13), 🏐 (28)

❖ ·33−20=⚽ ➡ 33−20=13, ⚽=13
·⚽+15=🏐 ➡ 13+15=28, 🏐=28

❸

➡ ⚾ (30), ● (42)

❖ ·⚾+⚾=60 ➡ 30+30=60, ⚾=30
·12+⚾=● ➡ 12+30=42, ●=42

32 · Jump 1-2

2 식을 보고 각각의 그림이 나타내는 수를 구해 보세요.

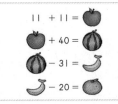

11 + 11 = 🍅
🍅 + 40 = 🍉
🍉 − 31 = 🍌
🍌 − 20 = 🍊

🍅 (22), 🍉 (62), 🍌 (31), 🍊 (11)

❖ ·11+11=22 ➡ 🍅=22
·22+40=62 ➡ 🍉=62
·62−31=31 ➡ 🍌=31
·31−20=11 ➡ 🍊=11

3 2에서 각각의 그림이 나타내는 수를 이용하여 계산해 보세요.

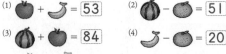

⑴ 🍅 + 🍌 = 53 ⑵ 🍉 − 🍊 = 51
⑶ 🍉 + 🍅 = 84 ⑷ 🍌 − 🍊 = 20

❖ ⑴ 🍅 + 🍌 =22+31=53
⑵ 🍉 − 🍊 =62−11=51
⑶ 🍉 + 🍅 =62+22=84
⑷ 🍌 − 🍊 =31−11=20

2. 덧셈과 뺄셈(1) · 33

유형 6 수 카드로 계산식 만들기 〔문제 해결〕

1 4장의 수 카드를 한 번씩만 사용하여 만들 수 있는 몇십몇 중에서 가장 큰 수와 가장 작은 수를 만들어 두 수의 차를 구해 보세요.

❶ 주어진 수 카드의 수를 큰 수부터 차례로 써 보세요.

7, 6, 5, 3

❷ 수 카드를 한 번씩만 사용하여 만들 수 있는 가장 큰 몇십몇을 구해 보세요.

(76)

❖ 가장 큰 수를 10개씩 묶음의 자리에 놓고, 둘째로 큰 수를 낱개 의 자리에 놓습니다. ➜ 76

❸ 수 카드를 한 번씩 사용하여 만들 수 있는 가장 작은 몇십몇을 구해 보세요.

(35)

❖ 가장 작은 수를 10개씩 묶음의 자리에 놓고, 둘째로 작은 수를 낱개의 자리에 놓습니다. ➜ 35

❹ ❷와 ❸에서 만든 수의 차를 구해 보세요.

76 − 35 = 41

❖
$$\begin{array}{r} 76 \\ -35 \\ \hline 41 \end{array}$$

34 · Jump 1-2

정답과 풀이 9쪽

2 3장의 수 카드 중에서 2장을 한 번만 사용하여 가장 큰 몇십몇을 만들었습니다. 이 수와 남은 수의 합을 구해 보세요.

(56)

❖ 만들 수 있는 가장 큰 몇십몇은 54이고, 남은 수는 2입니다.
➜ 54+2=56

3 4장의 수 카드를 한 번씩만 사용하여 만들 수 있는 몇십몇 중에서 가장 큰 수와 가장 작은 수의 차를 구해 보세요.

(42)

❖ 만들 수 있는 가장 큰 몇십몇은 52이고, 가장 작은 몇십몇은 10입니다.
➜ 52−10=42

4 3장의 수 카드 중에서 2장을 한 번만 사용하여 둘째로 큰 몇십몇을 만들었습니다. 이 수와 남은 수의 합을 구해 보세요.

(45)

❖ 만들 수 있는 가장 큰 몇십몇은 43이고 둘째로 큰 몇십몇은 42입니다.
42를 만들고 남은 수는 3이므로 두 수의 합은 42+3=45입니다.

2. 덧셈과 뺄셈(1) · 35

사고력 종합 평가

정답과 풀이 9쪽

1 올바른 계산식이 되도록 선으로 연결해 보세요.

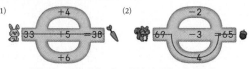

❖ (1) 33+4=37, 33+5=38(○), 33+6=39
(2) 69−2=67, 69−3=66, 69−4=65(○)

2 나란히 놓인 두 수의 합을 아래 칸에 써넣는 규칙입니다. 빈 곳에 알맞은 수를 써넣으세요.

❖ (1) 20+15=35, 30+35=65
(2) 22+30=52, 30+16=46, 52+46=98

3 두 수를 골라 합이 80이 되도록 □ 안에 알맞은 수를 써넣으세요.

| 10 | 20 | 30 | 40 | 60 |

20 + 60 = 80

(또는 60+20=80)

❖ 10개씩 묶음의 수의 합이 8이 되는 두 수를 찾습니다.

36 · Jump 1-2

---

4 보기와 같은 규칙으로 빈 곳에 알맞은 수를 써넣으세요.

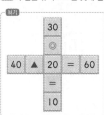 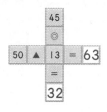

❖ 30−20=10이므로 ◎은 두 수의 차를 구하고, 40+20=60 이므로 ▲는 두 수의 합을 구합니다.
➜ 45◎13=45−13=32, 50▲13=50+13=63

5 □ 안에 알맞은 수를 써넣으세요.

(1)
$$\begin{array}{r} 3\ 6 \\ +\ 2\ 3 \\ \hline 5\ 9 \end{array}$$

(2)
$$\begin{array}{r} 5\ 7 \\ -\ 4\ 5 \\ \hline 1\ 2 \end{array}$$

❖ (1) □+3=9에서 6+3=9이므로 □=6입니다.
(2) 7−□=2에서 7−5=2이므로 □=5입니다.

6 가장 아랫줄부터 선으로 연결된 두 수를 계산하여 바로 위의 칸에 쓰는 규칙입니다. 빈 곳에 알맞은 수를 써넣으세요.

❖ · 13+㉠=39에서 13+26=39이므로 ㉠=26입니다.
· 39−20=㉡, ㉡=19

2. 덧셈과 뺄셈(1) · 37

정답과 풀이 · **9**

정답과 풀이 10쪽

7 □ 안에 알맞은 수를 써넣으세요.

$$52 + \boxed{31} = 83$$

❖ 52+□=83에서 52+31=83이므로 □=31입니다.

8 ◈은 상자 안에 있는 두 수의 합이고 ♠은 상자 안에 있는 두 수의 차입니다. 알맞은 두 수를 찾아 ○표 하세요.

(1)

(2)

❖ (1) 10개씩 묶음의 수의 합이 5, 낱개의 수의 합이 8이 되는
두 수를 찾아봅니다. → 36+22=58

(2) 10개씩 묶음의 수의 차가 1, 낱개의 수의 차가 4가 되는
두 수를 찾아봅니다. → 25-11=14

9 식을 보고 각각의 그림이 나타내는 수를 구해 보세요.

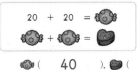

🐡(40), 🍪(80)

❖ ·20+20=40 → 🐡=40
·40+40=80 → 🍪=80

10 4장의 수 카드 중에서 2장을 한 번씩만 사용하여 만들 수 있는 몇십몇 중에서 가장 큰 수와 가장 작은 수의 합과 차를 각각 구해 보세요.

합 (83)
차 (63)

2
단원

❖ 만들 수 있는 몇십몇 중에서 가장 큰 수는 73이고, 가장 작은 수
는 10입니다.
→ 합: 73+10=83
차: 73-10=63

11 □ 안에 알맞은 수를 구해 보세요.

$$25 + \boxed{} = 78 - 30$$

(23)

❖ 78-30=48이므로 25+□=48입니다.
→ 25+□=48에서 25+23=48이므로 □=23입니다.

12 식에서 ♥에 알맞은 수를 구해 보세요.

$$▲ + ▲ = 40$$
$$▲ + 27 = ♥$$

(47)

❖ 20+20=40이므로 ▲=20입니다.
▲+27=♥에서 20+27=47이므로 ♥=47입니다.

정답과 풀이 10쪽

13 3장의 수 카드 중에서 2장을 한 번씩만 사용하여 몇십몇을 만들었습니다. 이 수와 남은 수 카드의 수를 더했을 때의 계산 결과가 가장 크게 되도록 덧셈식을 만들고 계산해 보세요.

$$\boxed{3}\ \boxed{1}\ \boxed{6}$$

$$\boxed{6\ 3} + \boxed{1} = \boxed{64}\ (또는 61+3=64)$$

❖ (몇십몇)+(몇)의 계산 결과가 가장 크게 되려면 몇십몇의 10개씩
묶음의 수가 가장 커야 합니다.
→ 63+1=64 또는 61+3=64

14 채소 가게에 오이와 가지가 모두 88개 있습니다. 오이가 43개일 때, 가지는 오이보다 몇 개 더 많은지 구해 보세요.

(2개)

❖ (가지의 수)=88-43=45(개)
따라서 가지는 오이보다 45-43=2(개) 더 많습니다.

15 0부터 9까지의 수 중에서 □ 안에 들어갈 수 있는 수는 모두 몇 개인지 구해 보세요.

$$3\boxed{} + 22 < 56$$

(4개)

❖ 3□+22=56이라고 하면 □+2=6이므로 □=4입니다.
3□+22가 56보다 작으려면 □는 4보다 작아야 하므로 □ 안
에 들어갈 수 있는 수는 0, 1, 2, 3으로 모두 4개입니다.

[GO! 매쓰]
여기까지 2단원 내용입니다.
다음부터는 3단원 내용이
시작합니다.

유형 ① 없어진 모양 찾기 　　정보 처리

1 왼쪽 그림은 진주가 ■, ▲, ● 모양을 이용하여 만든 로봇입니다. 동생이 몇 개의 모양을 가져가서 오른쪽과 같은 모양이 되었습니다. 동생이 어떤 모양을 몇 개 가지고 갔는지 구해 보세요.

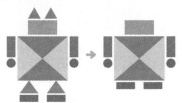

❶ 진주가 만든 로봇에서 찾을 수 있는 ■, ▲, ● 모양은 각각 몇 개일까요?

■ 모양 (5개), ▲ 모양 (8개), ● 모양 (2개)

❷ 동생이 가지고 간 후 찾을 수 있는 ■, ▲, ● 모양은 각각 몇 개일까요?

■ 모양 (5개), ▲ 모양 (4개), ● 모양 (2개)

❸ 동생은 어떤 모양을 몇 개 가지고 갔는지 구해 보세요.

 ▲ 모양, 4 개

42 · Jump 1-2 ✧ ■ 모양과 ● 모양의 수는 그대로이고 ▲ 모양은 8-4=4(개) 줄었습니다.

---

2 그림과 똑같은 모양을 2개 만들려면 ■ 모양은 모두 몇 개가 필요한지 구해 보세요.

(10개)

✧ 그림과 똑같은 모양을 한 개 만드는 데 ■ 모양 5개가 필요합니다. 따라서 그림과 똑같은 모양을 2개를 만들려면 ■ 모양은 모두 10개가 필요합니다.

3 ■, ▲, ● 모양을 이용하여 왼쪽과 같이 집을 꾸몄습니다. 꾸민 모양에서 모양 몇 개가 떨어져서 오른쪽과 같이 되었습니다. 어떤 모양이 몇 개 떨어졌는지 구해 보세요.

■ 모양, 2 개

✧ 처음 꾸민 집에는 ■ 모양이 4개, ▲ 모양이 7개, ● 모양이 4개 있고, 오른쪽 집에는 ■ 모양이 2개, ▲ 모양이 7개, ● 모양이 4개 있습니다. 따라서 ▲ 모양과 ● 모양은 그대로이고 ■ 모양이 2개 떨어졌습니다.

3. 여러 가지 모양 · 43

유형 ② 겹쳐 놓은 조각 　　정보 처리

1 다음과 같이 ■, ▲, ● 모양 조각 4개를 겹쳐 놓았습니다. 가장 아래에 놓인 조각과 가장 위에 놓인 조각의 뾰족한 곳은 모두 몇 군데인지 구해 보세요.

❶ 가장 위에 놓인 조각은 어떤 모양인지 ○표 하세요.

(■ , ▲ , Ⓞ)

✧ 다른 조각에 가려지지 않은 조각이 가장 위에 있는 조각입니다.

❷ 가장 아래에 놓인 조각은 어떤 모양인지 ○표 하세요.

✧ 위에 놓인 조각부터 차례로 모양을 알아보면 (◼ , ▲ , ●)

● 모양 − ▲ 모양 − ● 모양 − ■ 모양입니다.

따라서 가장 아래에 놓인 조각은 ■ 모양입니다.

❸ 가장 위에 놓인 조각과 가장 아래에 놓인 조각의 뾰족한 곳은 모두 몇 군데인지 구해 보세요.

(4군데)

44 · Jump 1-2 ✧ ● 모양은 뾰족한 곳이 없고, ■ 모양은 뾰족한 곳이 4군데입니다. ➜ 0+4=4(군데)

---

2 다음과 같이 ■, ▲, ● 모양 조각 4개를 겹쳐 놓았습니다. 가장 아래에 있는 조각은 어떤 모양인지 찾아 ○표 하세요.

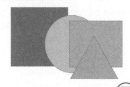

(◼ , ▲ , ●)

✧ 위에 놓인 조각부터 차례로 모양을 알아보면

▲ 모양 − ■ 모양 − ● 모양 − ■ 모양입니다. 따라서 가장 아래에 놓인 조각은 ■ 모양입니다.

3 다음과 같이 ■, ▲, ● 모양 조각 5개를 겹쳐 놓았습니다. 가장 아래에 놓인 조각은 가장 위에 놓인 조각보다 뾰족한 곳이 몇 군데 더 많은지 구해 보세요.

(1군데)

✧ 위에 놓인 조각부터 차례로 모양을 알아보면

▲ 모양 − ▲ 모양 − ● 모양 − ▲ 모양 − ■ 모양입니다.

따라서 가장 위에 놓인 조각은 ▲ 모양, 가장 아래에 놓인 조각은 ■ 모양입니다.

■ 모양은 뾰족한 곳이 4군데, ▲ 모양은 뾰족한 곳이 3군데입니다. ➜ 4-3=1(군데)

3. 여러 가지 모양 · 45

GO! 매쓰 Jump 정답

유형 ③   색종이 접기   추론

1 색종이를 그림과 같이 3번 접은 후 펼쳐서 접힌 선을 따라 모두 잘랐습니다. 뾰족한 곳이 4군데인 모양은 몇 개 만들어지는지 구해 보세요.

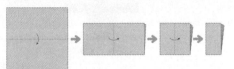

❶ 뾰족한 곳이 4군데인 모양에 ○표 하세요.

(■ , ▲ · ●)

✤ 뾰족한 곳이 4군데인 모양은 ■ 모양입니다.

❷ 색종이를 3번 접은 후 펼쳤을 때 접힌 선을 색종이에 나타내어 보세요.

(예)

❸ 접힌 선을 따라 모두 잘랐을 때 뾰족한 곳이 4군데인 모양은 몇 개 만들어질까요?

(**8개**)

✤ 접힌 선을 따라 모두 자르면 잘린 조각은 뾰족한 곳이 4군데인 ■ 모양이고 8개가 만들어집니다.

46 · Jump 1-2

2 색종이를 그림과 같이 한 번 접고 점선을 따라 잘랐습니다. 자른 조각들을 펼쳤을 때 찾을 수 있는 모양에 ○표 하세요.

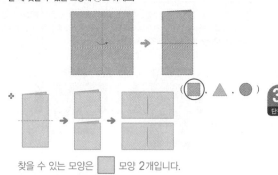

(■ , ▲ · ●)

✤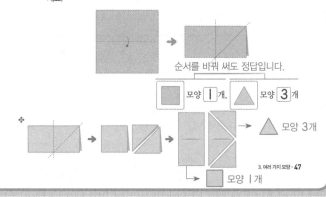

찾을 수 있는 모양은 ■ 모양 2개입니다.

3 색종이를 그림과 같이 한 번 접고 점선을 따라 두 번 잘랐습니다. 자른 조각들을 펼치면 ■, ▲, ● 중에서 어떤 모양이 각각 몇 개씩 만들어지는지 구해 보세요.

순서를 바꿔 써도 정답입니다.

■ 모양 **1** 개, ▲ 모양 **3** 개

✤ → ▲ 모양 3개

→ ■ 모양 1개

3. 여러 가지 모양 · 47

유형 ④   성냥개비로 만든 모양   추론

1 성냥개비를 사용하여 그림과 같은 규칙으로 크기가 같은 ▲ 모양 5개를 만들려고 합니다. 성냥개비는 모두 몇 개 필요한지 구해 보세요.

  ......

❶ ▲ 모양을 1개 만드는 데 성냥개비 몇 개가 필요할까요?

(**3개**)

❷ ▲ 모양이 5개가 되도록 그림을 그려 보세요.

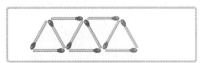

❸ ▲ 모양 5개를 만들려면 성냥개비는 모두 몇 개 필요한지 구해 보세요.

(**11개**)

✤ ▲ 모양이 5개가 되도록 그림을 그려서 성냥개비를 세어 보면 모두 11개 필요합니다.

48 · Jump 1-2

2 그림과 같이 성냥개비를 사용하여 만든 모양에서 ▲ 모양과 ■ 모양은 각각 몇 개씩 찾을 수 있는지 구해 보세요. (▲ 모양과 ■ 모양은 가장 작은 모양만 찾아 셉니다.)

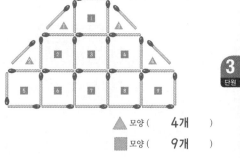

▲ 모양 (**4개**)

■ 모양 (**9개**)

3 면봉을 사용하여 그림과 같은 규칙으로 크기가 같은 ■ 모양 7개를 만들려고 합니다. 면봉은 모두 몇 개 필요한지 구해 보세요.

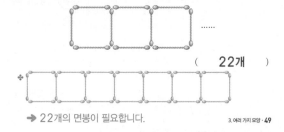 ......

(**22개**)

✤

→ 22개의 면봉이 필요합니다.

3. 여러 가지 모양 · 49

유형 5 자른 모양 알아보기 추론

1 카스텔라를 선을 따라 잘랐을 때 ■, ▲, ● 모양 중에서 찾을 수 <u>없는</u> 모양을 알아보려고 합니다. 물음에 답하세요.

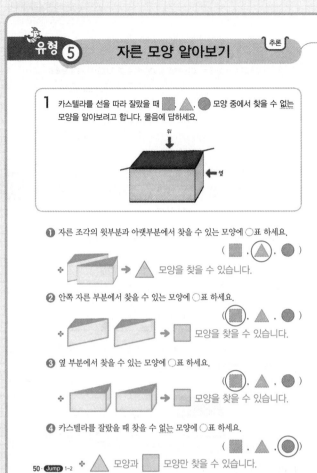

❶ 자른 조각의 윗부분과 아랫부분에서 찾을 수 있는 모양에 ○표 하세요.

(■ . ▲ . ●)

❖ → ▲ 모양을 찾을 수 있습니다.

❷ 안쪽 자른 부분에서 찾을 수 있는 모양에 ○표 하세요.

(■ . ▲ . ●)

❖ → ■ 모양을 찾을 수 있습니다.

❸ 옆 부분에서 찾을 수 있는 모양에 ○표 하세요.

(■ . ▲ . ●)

❖ → ■ 모양을 찾을 수 있습니다.

❹ 카스텔라를 잘랐을 때 찾을 수 <u>없는</u> 모양에 ○표 하세요.

(■ . ▲ . ●)

❖ ▲ 모양과 ■ 모양만 찾을 수 있습니다.

50 · Jump 1~2

2 두부를 다음과 같이 잘랐을 때 ■, ▲, ● 모양 중에서 찾을 수 있는 모양을 그려 보세요.

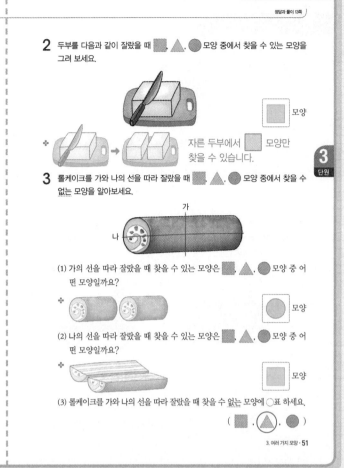

□ 모양

❖ → 자른 두부에서 ■ 모양만 찾을 수 있습니다.

3 롤케이크를 가와 나의 선을 따라 잘랐을 때 ■, ▲, ● 모양 중에서 찾을 수 없는 모양을 알아보세요.

(1) 가의 선을 따라 잘랐을 때 찾을 수 있는 모양은 ■, ▲, ● 모양 중 어떤 모양일까요?

❖ → ● 모양

(2) 나의 선을 따라 잘랐을 때 찾을 수 있는 모양은 ■, ▲, ● 모양 중 어떤 모양일까요?

❖ → ■ 모양

(3) 롤케이크를 가와 나의 선을 따라 잘랐을 때 찾을 수 <u>없는</u> 모양에 ○표 하세요.

(■ . ▲ . ●)

3. 여러 가지 모양 · 51

3 단원

유형 6 크고 작은 모양 찾기 문제 해결

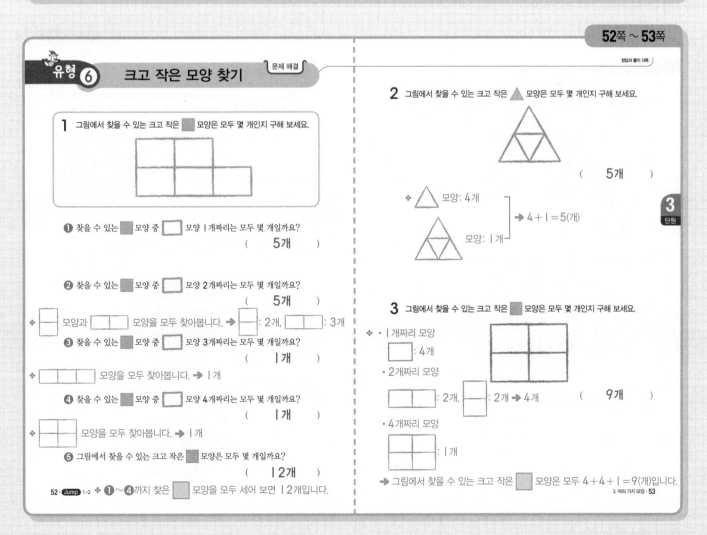

1 그림에서 찾을 수 있는 크고 작은 ■ 모양은 모두 몇 개인지 구해 보세요.

❶ 찾을 수 있는 ■ 모양 중 □ 모양 1개짜리는 모두 몇 개일까요?

(5개)

❷ 찾을 수 있는 ■ 모양 중 □ 모양 2개짜리는 모두 몇 개일까요?

(5개)

❖ □ 모양과 □ 모양을 모두 찾아봅니다. → □ : 2개, □ : 3개

❸ 찾을 수 있는 ■ 모양 중 □ 모양 3개짜리는 모두 몇 개일까요?

(1개)

❖ □ 모양을 모두 찾아봅니다. → 1개

❹ 찾을 수 있는 ■ 모양 중 □ 모양 4개짜리는 모두 몇 개일까요?

(1개)

❖ □ 모양을 모두 찾아봅니다. → 1개

❺ 그림에서 찾을 수 있는 크고 작은 ■ 모양은 모두 몇 개일까요?

(12개)

52 · Jump 1~2 ❖ ❶~❹까지 찾은 ■ 모양을 모두 세어 보면 12개입니다.

2 그림에서 찾을 수 있는 크고 작은 ▲ 모양은 모두 몇 개인지 구해 보세요.

(5개)

❖ ▲ 모양: 4개

▲ 모양: 1개

→ 4 + 1 = 5(개)

3 그림에서 찾을 수 있는 크고 작은 ■ 모양은 모두 몇 개인지 구해 보세요.

❖ · 1개짜리 모양

□ : 4개

· 2개짜리 모양

□ : 2개, □ : 2개 → 4개

(9개)

· 4개짜리 모양

□ : 1개

→ 그림에서 찾을 수 있는 크고 작은 ■ 모양은 모두 4 + 4 + 1 = 9(개)입니다.

3. 여러 가지 모양 · 53

3 단원

사고력 종합 평가

정답과 풀이 14쪽

1 물감을 묻혀 찍었을 때 나올 수 없는 모양에 ○표 하세요.

▲ 모양을 찍을 수 있습니다.

■ 모양을 찍을 수 있습니다. (■ · ▲ · ⦿)

2 ■, ▲, ● 모양을 이용하여 왼쪽과 같이 기차를 꾸몄습니다. 꾸민 모양에서 모양이 몇 개 떨어져서 오른쪽과 같이 되었습니다. 어떤 모양이 몇 개 떨어졌는지 구해 보세요.

 →

■ 모양, 3 개

✛ 처음 꾸민 기차에는 ■ 모양이 6개, ▲ 모양이 1개, ● 모양이 7개 있고,

오른쪽 기차에는 ■ 모양이 3개, ▲ 모양이 1개, ● 모양이 7개 있습니다.

54 · Jump 1-2

따라서 ▲ 모양과 ● 모양은 그대로이고 ■ 모양이 3개 떨어졌습니다.

3 주어진 모양들에서 찾을 수 있는 뾰족한 곳은 모두 몇 군데인지 세어 보세요.

(10군데)

✛ 뾰족한 곳을 각각 세어 봅니다.

㉠은 ● 모양이므로 0군데, ㉡은 ▲ 모양이므로 3군데,

㉢은 ■ 모양이므로 4군데, ㉣은 ▲ 모양이므로 3군데입니다.

따라서 뾰족한 곳은 모두 10군데입니다.

4 그림과 같이 성냥개비를 사용하여 만든 모양에서 ▲ 모양과 ■ 모양은 각각 몇 개씩 찾을 수 있는지 구해 보세요. (▲ 모양과 ■ 모양은 가장 작은 모양만 찾아 셉니다.)

▲ 모양 (4개), ■ 모양 (6개)

5 그림과 같이 케이크를 잘랐을 때 잘라 낸 모양에서 찾을 수 있는 모양에 모두 ○표 하세요.

(■ · ▲ · ●)

✛ 잘라 낸 모양에서 찾을 수 있는 모양은

▲ 모양과 ■ 모양입니다.

3. 여러 가지 모양 · 55

3 단원

사고력 종합 평가

정답과 풀이 14쪽

6 색종이를 그림과 같이 한 번 접고 점선을 따라 잘랐습니다. 자른 조각들을 펼치면 ■, ▲, ● 모양 중에서 어떤 모양이 몇 개 만들어지는지 구해 보세요.

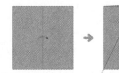 →

▲ 모양, 3 개

✛  →

7 성냥개비를 사용하여 그림과 같은 규칙으로 크기가 같은 ▲ 모양 7개를 만들려고 합니다. 성냥개비는 모두 몇 개 필요한지 구해 보세요.

......

(15개)

✛ → 15개

8 다음 모양에 면봉을 1개 더 놓아서 ▲ 모양 2개를 만들어 보세요.

9 다음과 같이 ■, ▲, ● 모양 조각 5개를 겹쳐 놓았습니다. 가장 위에 놓인 조각과 가장 아래에 놓인 조각의 뾰족한 곳은 모두 몇 군데인지 구해 보세요.

✛ 위에 놓인 조각부터 차례로 모양을 알아보면

▲ 모양 ─ ● 모양 ─ ▲ 모양 ─

● 모양 ─ ■ 모양입니다.

따라서 가장 위에 놓은 조각은 ▲ 모양으로

뾰족한 곳이 3군데, 가장 아래에 놓은 조각은

■ 모양으로 뾰족한 곳이 4군데입니다.

(7군데)

3 단원

→ 3+4=7(군데)

10 ■, ▲, ● 모양을 이용하여 여러 가지 모양을 꾸며 보세요.

예

11 크기가 같은 ▲ 모양 6개가 되도록 자르려고 합니다. 자르는 선을 3개 그어 보세요.

56 · Jump 1-2

3. 여러 가지 모양 · 57

사고력 종합 평가

정답과 풀이 15쪽

12 그림에서 찾을 수 있는 크고 작은 ▲ 모양은 모두 몇 개일까요?

(13개)

13 그림에서 찾을 수 있는 크고 작은 ■ 모양은 모두 몇 개일까요?

(16개)

14 ■, ▲, ● 모양의 단추를 다음과 같이 두 군데로 나누었습니다. 어떤 기준으로 나눈 것인지 써 보세요.

기준 예 **뾰족한 곳이 있는 모양과 뾰족한 곳이 없는 모양으로 나누었습니다.**

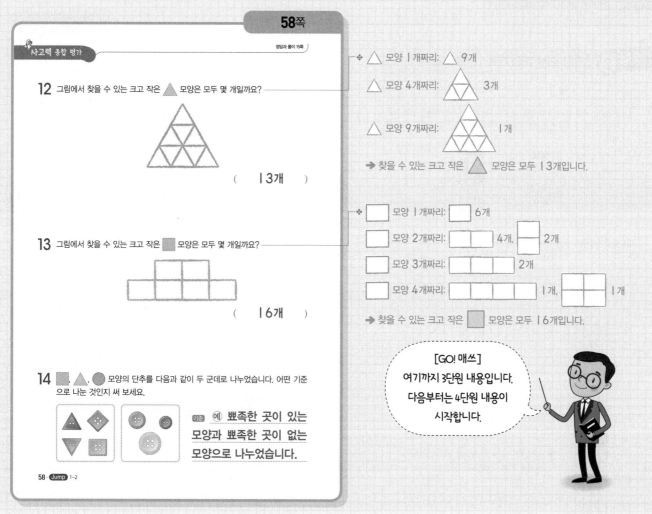

❖ △ 모양 1개짜리: △ 9개

△ 모양 4개짜리: 3개

△ 모양 9개짜리: 1개

➡ 찾을 수 있는 크고 작은 △ 모양은 모두 13개입니다.

❖ ☐ 모양 1개짜리: ☐ 6개

☐ 모양 2개짜리: 4개, 2개

☐ 모양 3개짜리: 2개

☐ 모양 4개짜리: 1개, 1개

➡ 찾을 수 있는 크고 작은 ☐ 모양은 모두 16개입니다.

[GO! 매쓰]
여기까지 3단원 내용입니다.
다음부터는 4단원 내용이
시작합니다.

유형 ① 10이 되는 더하기 〔문제 해결〕

정답과 풀이 15쪽

1 보기와 같이 모아서 10이 되는 수 카드 2장을 모두 찾아 연결해 보세요.

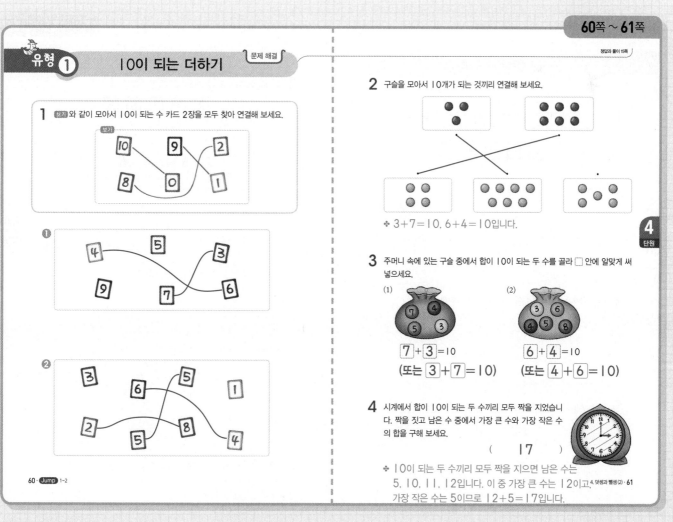

2 구슬을 모아서 10개가 되는 것끼리 연결해 보세요.

❖ 3+7=10, 6+4=10입니다.

3 주머니 속에 있는 구슬 중에서 합이 10이 되는 두 수를 골라 ☐ 안에 알맞게 써 넣으세요.

(1)

7 + 3 =10
(또는 3 + 7 =10)

(2)

6 + 4 =10
(또는 4 + 6 =10)

4 시계에서 합이 10이 되는 두 수끼리 모두 짝을 지었습니다. 짝을 짓고 남은 수 중에서 가장 큰 수와 가장 작은 수의 합을 구해 보세요.

(17)

❖ 10이 되는 두 수끼리 모두 짝을 지으면 남은 수는 5, 10, 11, 12입니다. 이 중 가장 큰 수는 12이고 가장 작은 수는 5이므로 12+5=17입니다.

4단원

4. 덧셈과 뺄셈(2) · 61

유형 ② 10이 되는 더하기와 10에서 빼기 [추론]

정답과 풀이 16쪽

1 주영이는 구슬 10개를 양손에 나누어 가지고 있습니다. 주먹 쥔 손에 있던 구슬의 반을 동생에게 주었습니다. 동생에게 준 구슬은 몇 개인지 구해 보세요.

❶ 주영이의 펼친 손에 있는 구슬은 몇 개일까요?

(6개)

❷ 주영이의 주먹 쥔 손에 있는 구슬은 몇 개일까요?

(4개)

✿ 10−6=4(개)

❸ 주영이가 동생에게 준 구슬은 몇 개일까요?

(2개)

✿ ➡ 4는 2와 2로 가르기를 할 수 있으므로 4개의 반은 2개입니다.

2 □ 안에 알맞은 수가 가장 큰 것을 찾아 기호를 써 보세요.

| ㉠ 6+□=10 | ㉡ 10−□=3 |
| ㉢ □+5=10 | ㉣ 10−8=□ |

(㉡)

✿ ㉠ 6+□=10 ➡ 6+4=10이므로 □=4입니다.
　㉡ 10−□=3 ➡ 10−7=3이므로 □=7입니다.
　㉢ □+5=10 ➡ 5+5=10이므로 □=5입니다.
　㉣ 10−8=□ ➡ 10−8=2이므로 □=2입니다.
　따라서 □ 안에 알맞은 수가 가장 큰 것은 ㉡입니다.

3 놀이터에서 아이들 10명이 놀고 있습니다. 잠시 후 남자 아이 3명과 여자 아이 몇 명이 집으로 돌아갔습니다. 놀이터에 남아 있는 아이들이 4명일 때 집에 간 여자 아이는 몇 명인지 구해 보세요.

(3명)

✿ 남자 아이 3명이 집에 가고 남은 아이들은 10−3=7(명)입니다.
　집에 간 여자 아이의 수를 □명이라 하면 7−□=4이고
　7−3=4이므로 □=3입니다.
　따라서 집에 간 여자 아이는 3명입니다.

4 단원

유형 ③ 10을 만들어 더하기 [문제 해결]

정답과 풀이 16쪽

1 수 카드 5장 중 더하면 10이 되는 수 카드 두 장을 골랐습니다. 10을 만들고 남은 수 카드 3장에 적힌 수의 합을 구해 보세요.

6 3 2 4 5

❶ 더하면 10이 되는 수 카드를 찾아 써 보세요.

(6 , 4)

서로 바꿔 써도 정답입니다.

❷ 10을 만들고 남은 수 카드를 작은 수부터 차례로 써 보세요.

(2 , 3 , 5)

❸ 10을 만들고 남은 3장의 수 카드에 적힌 수의 합을 구해 보세요.

(10)

✿ 2+3+5=10
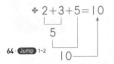

2 수 카드 5장의 수를 모두 더하면 얼마인지 구해 보세요.

2 4 5 6 8

(1) 더하면 10이 되는 수 카드를 2장씩 짝을 지어 □ 안에 알맞은 수를 써넣으세요.

2 + 8 =10, 4 + 6 =10
(또는 8 + 2 =10) (또는 6 + 4 =10)

(2) (1)에서 짝을 짓고 남은 수 카드의 수를 써 보세요.

(5)

(3) 수 카드의 수를 모두 더하면 10개씩 묶음 몇 개와 낱개 몇 개가 될까요?

10개씩 묶음 2 개와 낱개 5 개

(4) 수 카드의 수를 모두 더하면 얼마일까요?

(25)

3 종이에 쓰인 수를 모두 더하면 얼마인지 구해 보세요.

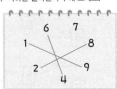

✿ 더하면 10이 되는 두 수끼리 짝을 지으면
　1 — 9, 2 — 8, 4 — 6으로 3쌍이고 남은 수는 7입니다.
　따라서 종이에 쓰인 수를 모두 더하면 10개씩 묶음 3개와
　낱개 7개가 되므로 37입니다.

(37)

4 단원

유형 ④　　조건에 맞는 수　　추론

1 ㉠과 ㉡ 사이에 있는 수는 모두 몇 개인지 구해 보세요.

$$10-3=㉠$$
$$5+2+8=㉡$$

❶ ㉠과 ㉡의 값을 각각 구해 보세요.

㉠ (　**7**　)
㉡ (　**15**　)

❖ $10-3=7$ ➡ ㉠$=7$
　$5+2+8=15$ ➡ ㉡$=15$
　　　　|___|
　　　　10
　|_____|
　　　15

❷ ㉠과 ㉡ 사이에 있는 수를 모두 써 보세요.

(**8, 9, 10, 11, 12, 13, 14**)

❖ 7부터 15까지의 수를 차례로 쓰면 7, 8, 9, 10, 11, 12, 13, 14, 15이므로 7과 15 사이에 있는 수는 8, 9, 10, 11, 12, 13, 14입니다.

❸ ㉠과 ㉡ 사이에 있는 수는 모두 몇 개일까요?

(**7개**)

❖ 8, 9, 10, 11, 12, 13, 14로 모두 7개입니다.

66 · **Jump** 1-2

정답과 풀이 17쪽

2 1부터 9까지의 수 중에서 □ 안에 들어갈 수 있는 수를 모두 구해 보세요.

$$2+1+□<7$$

(　**1, 2, 3**　)

❖ $2+1+□=3+□$이므로 $3+□<7$입니다.
　$3+□=7$일 때 □$=4$이므로 □ 안에는 4보다 작은 수가 들어가야 합니다.
　따라서 □ 안에 들어갈 수 있는 수는 1, 2, 3입니다.

3 1부터 9까지의 수 중에서 □ 안에 들어갈 수 있는 가장 큰 수를 구해 보세요.

$$9-3-□>2$$

(1) □ 안에 들어갈 수 있는 수를 모두 구해 보세요.

(　**1, 2, 3**　)

❖ $9-3-□=6-□$이므로 $6-□>2$입니다.
　$6-□=2$일 때 □$=4$이므로 □ 안에는 4보다 작은 수가 들어가야 합니다. 따라서 □ 안에 들어갈 수 있는 수는 1, 2, 3입니다.

(2) □ 안에 들어갈 수 있는 가장 큰 수는 얼마일까요?

(　**3**　)

❖ □ 안에 들어갈 수 있는 수 1, 2, 3 중에서 가장 큰 수는 3입니다.

4 단원

4. 덧셈과 뺄셈(2) · **67**

유형 ⑤　　나타내는 수　　정보 처리

1 다음은 숫자를 암호로 바꾼 표입니다. 암호를 해석하여 계산해 보세요.

숫자	1	2	3	4	5	6	7	8	9
암호	●	▲	■	♥	☆	◎	◆	♣	♠

❶ ■ + ♥ = 7

❷ ◆ + ▲ = 9

❸ ♣ + ▲ + ● = 11
　|__10__|
　|_____11_____|

❹ ♥ + ◎ + ◆ = 17
　　|__10__|
　|_____17_____|

❺ ■ + ♠ + ● = 13
　|__10__|
　|_____13_____|

❻ ☆ + ♥ + ◎ = 15
　　|__10__|
　|_____15_____|

❼ ◆ + ■ + ♠ = 19
　|__10__|
　|_____19_____|

❽ ♣ + ♥ = 12

❖ 8하고 9, 10, 11, 12이므로
　$8+4=12$입니다.

68 · **Jump** 1-2

정답과 풀이 17쪽

2 ♞ 이 나타내는 수를 구해 보세요.

$$10-▢=2$$
$$▢+4+6=♞$$

(　**18**　)

❖ $10-▢=2$에서 $10-8=2$이므로 ▢ 이 나타내는 수는 8입니다.
　▢$=8$이므로 ▢$+4+6=8+4+6=8+10=18$입니다.
　➡ ♞ $=18$

3 ☺ − ♛ − ✿ 의 값은 얼마인지 구해 보세요.

$$5+5+5=♛$$
$$♛+4=☺$$
$$10-✿=8$$

(　**2**　)

❖ $5+5+5=10+5=15$이므로 ♛$=15$입니다.
　♛$=15$이므로 $15+4=19$ ➡ ☺$=19$입니다.
　$10-✿=8$에서 $10-2=8$이므로 ✿$=2$입니다.
　따라서 ☺ − ♛ − ✿ $=19-15-2=4-2=2$입니다.

4 단원

4. 덧셈과 뺄셈(2) · **69**

정답과 풀이 · **17**

유형 6 ᴴᵘ론 **덧셈식과 뺄셈식**

정답과 풀이 18쪽

1 보기 와 같이 세 수를 보고 덧셈식과 뺄셈식을 써 보세요.

보기

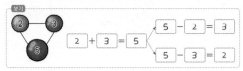

$2 + 3 = 5$

$5 - 2 = 3$
$5 - 3 = 2$

①

$6 + 4 = 10$

$10 - 6 = 4$
$10 - 4 = 6$

서로 바꿔 써도
정답입니다.

순서를
바꿔 써도
정답입니다.

②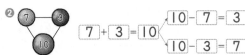

$7 + 3 = 10$

$10 - 7 = 3$
$10 - 3 = 7$

③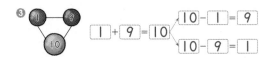

$1 + 9 = 10$

$10 - 1 = 9$
$10 - 9 = 1$

70 · Jump 1–2

2 덧셈식을 보고 뺄셈식을 만들어 보세요.

$5 + 5 = 10$ → $10 - 5 = 5$

3 뺄셈식을 보고 덧셈식을 만들어 보세요.

$10 - 8 = 2$ <

$2 + 8 = 10$
$8 + 2 = 10$

순서를 바꿔
써도 정답
입니다.

4 4장의 수 카드 중에서 3장을 한 번씩만 사용하여 덧셈식과 뺄셈식을 만들어 보세요.

3 5 7 10

덧셈식
$3 + 7 = 10$
또는 $7 + 3 = 10$

뺄셈식
$10 - 3 = 7$
또는 $10 - 7 = 3$

4 단원

4. 덧셈과 뺄셈(2) · 71

사고력 종합 평가

정답과 풀이 18쪽

1 준희는 초콜릿을 10개 가지고 있었습니다. 이 중에서 4개를 먹고 남은 초콜릿의 반을 친구에게 주었습니다. 준희에게 남은 초콜릿은 몇 개인지 구해 보세요.

(**3개**)

✧ 준희가 초콜릿 4개를 먹었으므로 남은 초콜릿은 $10 - 4 = 6$(개)입니다.
준희가 먹고 남은 초콜릿 6개의 반인 3개를 친구에게 주면 남은 초콜릿은 $6 - 3 = 3$(개)입니다.

2 상자에 들어 있는 구슬 중에서 더하면 10이 되는 두 수를 골라 □ 안에 알맞게 써넣으세요.

$2 + 8 = 10$

3 세 수의 합이 15가 되게 하려고 합니다. 빈 곳에 알맞은 수를 구해 보세요.

 6   4

(**5**)

✧ 6과 4를 더하면 10이 되고 10과 더해서 15가 되는 수는 5입니다.

72 · Jump 1–2

4 음계를 보고 ○ 안의 계이름이 나타내는 수를 써넣고 계산해 보세요.

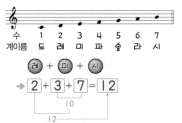

| 수 | 1 | 2 | 3 | 4 | 5 | 6 | 7 |
| 계이름 | 도 | 레 | 미 | 파 | 솔 | 라 | 시 |

레 + 미 + 시

→ $2 + 3 + 7 = 12$

5 수 카드 5장 중에서 3장을 골라 계산 결과가 가장 큰 뺄셈식을 만들고 계산해 보세요.

8 7 1 2 3

서로 바꿔 써도 정답입니다.

→ $8 - 1 - 2 = 5$

✧ 가장 큰 수에서 가장 작은 수와 둘째로 작은 수를 빼는 뺄셈식의 계산 결과가 가장 큽니다.

$8 - 1 - 2 = 5$ 또는 $8 - 2 - 1 = 5$

6 수 카드 5장 중에서 더하면 10이 되는 수 카드 2장을 골라 짝을 지었습니다. 10을 만들고 남은 수 카드 3장에 적힌 수의 합을 구해 보세요.

9 4 1 2 3

(**9**)

✧ 더하면 10이 되는 수는 9와 1입니다.
10을 만들고 남은 수 카드에 적힌 수의 합을 구하면 $4 + 2 + 3 = 9$입니다.

4 단원

4. 덧셈과 뺄셈(2) · 73

정답과 풀이 19쪽

7 합이 10이 되도록 □ 안에 알맞은 수를 써넣으세요.

❖ 9+1=10, 2+8=10, 3+7=10, 4+6=10

8 1부터 9까지의 수 중에서 □ 안에 들어갈 수 있는 수는 모두 몇 개인지 구해 보세요.

$$3+2+\square < 9$$

(**3개**)

❖ 3+2+□=5+□이므로 5+□<9입니다.
따라서 □ 안에 들어갈 수 있는 수는 1, 2, 3으로 모두 3개입니다.

9 ㉠과 ㉡ 사이에 있는 수를 모두 구해 보세요.

$$10-5=㉠$$
$$3+2+4=㉡$$

(**6, 7, 8**)

❖ 10−5=5 ➡ ㉠=5, 3+2+4=9 ➡ ㉡=9
5와 9 사이에 있는 수는 5 − 6 − 7 − 8 − 9에서
6, 7, 8입니다.

74 · Jump 1-2

10 주어진 교통 표지판과 같은 모양에 쓰인 수들의 합을 구해 보세요.

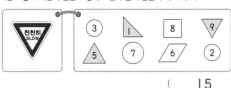

(15)

❖ 주어진 교통 표지판은 △ 모양입니다. △ 모양에 있는 수들
은 1, 9, 5이므로 1+9+5=10+5=15입니다.

11 보기의 규칙과 같이 빈 곳에 알맞은 수를 써넣으세요.

(1)

(2)

❖ 바깥에 있는 세 수의 합은 가운데에 있는 수와 같습니다.
➡ 1+2+3=6, 2+2+4=8
(1) 3+2+2=5+2=7 (2) 8+4+6=8+10=18

12 □ 안에 알맞은 수를 써넣으세요.

5   4   5

14

❖ 5+4+5=5+5+4=10+4=14

4. 덧셈과 뺄셈(2) · 75

4
단원

정답과 풀이 19쪽

13 보기와 같이 주어진 글자 수에 알맞게 노랫말을 만들어 보세요.

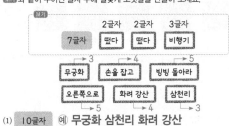

(1) 10글자 예 무궁화 삼천리 화려 강산

(2) 14글자 예 손을 잡고 오른쪽으로 빙빙 돌아라

❖ (1) 3+3+4=10(글자), 5+5=10(글자)
(2) 4+5+5=14(글자), 3+3+4+4=14(글자)

14 어떤 수에 2를 더해야 하는데 잘못하여 뺐더니 8이 되었습니다. 바르게 계산한
값은 얼마인지 구해 보세요.

(12)

❖ 어떤 수를 □라 하면 □−2=8에서 10−2=8이므로 □=10
입니다. 따라서 바르게 계산한 값은 10+2=12입니다.

15 각각의 ◯ 안에 있는 수들의 합이 10이 되도록 □ 안에 알맞은 수를 써넣으세요.

❖ 7+㉠=10 ➡ 7+3=10이므로 ㉠=3입니다.
㉢+5=10 ➡ 5+5=10이므로 ㉢=5입니다.
㉠+㉡+㉢=10에서 3+㉡+5=10, 3+5=10,
8+㉡=10 ➡ 8+2=10이므로 ㉡=2입니다.

76 · Jump 1-2

정답과 풀이 · 19

유형 ① 규칙에 따라 모양 찾기 추론

1 규칙에 따라 빈 곳에 알맞은 모양과 같은 모양의 물건을 모두 찾으려고 합니다. 물음에 답하세요.

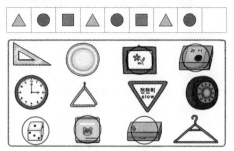

❶ 모양을 놓은 규칙을 찾아 빈 곳에 알맞은 모양을 그려 보세요.

규칙 △ ─ ● ─ ■ 모양이 반복됩니다.

❷ 규칙에 따라 빈 곳에 알맞은 모양을 그려 보세요.

❸ ❷에서 찾은 모양과 같은 모양의 물건을 위에서 모두 찾아 ○표 하세요.

78 · Jump 1-2 ❖ 물건 중에서 ■ 모양은 액자, 과자 상자, 주사위, 수첩, 필통입니다.

정답과 풀이 20쪽

2 규칙에 따라 빈 곳에 알맞은 모양을 그리고 규칙을 찾아 써 보세요.

(1)

규칙 예) ■ ─ △ ─ ● 모양이 반복됩니다.

(2)

규칙 예) ♥ ─ ♥ ─ ☆ 모양이 반복됩니다.

3 규칙을 찾아 쓰고 빈 곳에 알맞은 동물을 모두 찾아 ○표 하세요.

규칙 4, 2, 6 이 반복되는 규칙이고 수와 같은 다리 수를 가진 동물 그림을 놓았습니다.

❖ 4 ─ 2 ─ 6이 반복되는 규칙이고 규칙적으로 놓인 수와 같은 다리 수를 가진 동물을 그림으로 나타내었습니다.
빈 곳에 알맞은 수는 4로 다리 수가 4개인 동물을 찾으면 사자, 코끼리, 기린입니다. 5. 시계 보기와 규칙 찾기 · 79

5 단원

유형 ② 규칙에 따라 색칠하기 문제 해결

1 크리스마스 트리에 맨 위에서부터 규칙에 따라 빨간색, 파란색, 노란색 전구를 장식하였습니다. 빈 곳에 알맞은 전구의 색을 칠하려고 합니다. 물음에 답하세요.

❶ 전구의 색에서 규칙을 찾아 써 보세요.

규칙 빨간색 ─ 파란색 ─ 파란색 ─ 노란색 전구가 반복되는 규칙입니다.

❷ 빈 곳에 알맞은 전구의 색을 칠해 보세요.

80 · Jump 1-2

정답과 풀이 20쪽

2 규칙에 따라 색칠할 때 ㉠에는 어떤 색을 칠해야 하는지 써 보세요.

첫째	둘째	셋째	넷째	다섯째	여섯째

(빨간색)

❖
| 파란색 | 빨간색 |
| 빨간색 | 파란색 |
,
| 빨간색 | 파란색 |
| 파란색 | 빨간색 |
이 반복되는 규칙이므로

여섯째에는
| 빨간색 | 파란색 |
| 파란색 | 빨간색 |
이 칠해집니다.

따라서 ㉠에는 빨간색을 칠해야 합니다.

3 은우는 규칙을 정하여 2가지 색의 블록을 놓았습니다. 빈 곳을 모두 채웠을 때 2가지 색의 블록을 각각 몇 개씩 사용했는지 구해 보세요.

■ (18개)
■ (9개)

❖ 첫째 줄과 셋째 줄은 주황색, 주황색, 초록색이 반복됩니다.
둘째 줄은 초록색, 주황색, 주황색이 반복됩니다.
따라서 빈 곳을 모두 채웠을 때 주황색 블록은 18개, 초록색 블록은 9개를 사용했습니다.

5. 시계 보기와 규칙 찾기 · 81

5 단원

유형 ③　　**거꾸로 걸린 시계**　　문제 해결

정답과 풀이 21쪽

1 유주가 교실 벽에 걸린 시계를 보니 다음과 같이 잘못 걸려 있었습니다. 시계가 나타내는 시각을 읽어 보려고 합니다. 물음에 답하세요.

❶ 시계에서 짧은바늘은 몇과 몇 사이에 있을까요?

(8과 9 사이)

❷ 시계에서 긴바늘은 몇을 가리킬까요?

(6)

❸ 시계를 바르게 걸었을 때의 시각을 시계에 나타내고 읽어 보세요.

읽기 (여덟 시 삼십 분)

✤ 짧은바늘이 8과 9 사이에 있고, 긴바늘이 6을 가리키므로
82 · Jump 1-2　8시 30분이고 여덟 시 삼십 분이라고 읽습니다.

2 민아가 다음과 같이 시계를 거울에 비추어 보았습니다. 시계가 나타내는 시각을 써 보세요.

(4시)

✤ 짧은바늘이 4, 긴바늘이 12를 가리키므로 4시입니다.

3 민호가 세수를 하고 있습니다. 화장실 거울에 비친 시계를 보고 민호가 세수를 하고 있는 시각을 써 보세요.

(7시 30분)

✤ 짧은바늘이 7과 8 사이에 있고, 긴바늘이 6을 가리키므로 7시 30분입니다.

5. 시계 보기와 규칙 찾기 · 83

유형 ④　　**시각 구하기**(1)　　추론

정답과 풀이 21쪽

1 다영이가 설명하는 시각을 알아보려고 합니다. 물음에 답하세요.

· 긴바늘이 6을 가리킵니다.
· 3시와 5시 사이의 시각입니다.
· 4시보다 늦은 시각입니다.

❶ 긴바늘이 6을 가리키는 시각 중 3시와 5시 사이의 시각을 시계에 모두 나타내고 써 보세요.

3 시 30 분　　4 시 30 분

✤ 긴바늘이 6을 가리키면 '몇 시 30분'입니다. 3시를 지나고 5시를 지나지 않은 시각 중 '몇 시 30분'은 3시 30분, 4시 30분입니다.

❷ ❶에서 나타낸 시각 중 4시보다 늦은 시각을 써 보세요.

(4시 30분)

✤ 3시 30분과 4시 30분 중 4시를 지난 시각은 4시 30분입니다.

❸ 다영이가 설명하는 시각을 써 보세요.

(4시 30분)

84 · Jump 1-2

2 영진이가 설명하는 시각을 시계에 나타내고 써 보세요.

· 긴바늘이 12를 가리킵니다.
· 3시와 6시 사이의 시각입니다.
· 4시 30분보다 빠른 시각입니다.

 → (4시)

✤ 긴바늘이 12를 가리키면 '몇 시'입니다. 3시를 지나고 6시를 지나지 않은 시각 중 '몇 시'는 4시, 5시입니다.
이 중에서 4시 30분보다 빠른 시각은 4시입니다.

3 지우가 설명하는 시각을 시계에 나타내고 써 보세요.

· 긴바늘이 6을 가리킵니다.
· 8시와 10시 사이의 시각입니다.
· 9시보다 늦은 시각입니다.

 → (9시 30분)

✤ 긴바늘이 6을 가리키면 '몇 시 30분'입니다. 8시를 지나고 10시를 지나지 않은 시각 중 '몇 시 30분'은 8시 30분, 9시 30분입니다.
이 중에서 9시보다 늦은 시각은 9시 30분입니다.

5. 시계 보기와 규칙 찾기 · 85

유형 **5** 시각 구하기 (2) 문제 해결

정답과 풀이 22쪽

1 민호가 집에서 할아버지 댁을 가는 동안 시계의 긴바늘이 두 바퀴 움직였습니다. 집에서 출발한 시각이 1시일 때 할아버지 댁에 도착한 시각을 알아보려고 합니다. 물음에 답하세요.

❶ 민호가 집에서 출발한 시각을 시계에 나타내어 보세요.

✤ 1시는 짧은바늘이 1, 긴바늘이 12를 가리키도록 나타냅니다.

❷ 시계에서 긴바늘이 한 바퀴 움직이면 짧은바늘은 숫자 1칸을 움직입니다. □ 안에 알맞은 수를 써넣으세요.

1시에서 긴바늘이 한 바퀴 움직이면 짧은바늘은 숫자 **2** 를 가리키고, 두 바퀴 움직이면 숫자 **3** 을 가리킵니다.

✤ 긴바늘이 한 바퀴씩 움직일 때 짧은바늘은 숫자 1칸씩 움직입니다.

❸ 민호가 할아버지 댁에 도착한 시각을 시계에 나타내고 몇 시인지 써 보세요.

 → (**3시**)

✤ 긴바늘이 두 바퀴 움직이면 짧은바늘은 1에서 3으로 숫자 2칸을 움직이므로 할아버지 댁에 도착한 시각은 3시입니다.

86 · Jump 1-2

2 민우는 다음과 같이 긴바늘이 움직이는 동안 2시부터 점토 놀이를 하고 줄넘기를 했습니다. 긴바늘이 움직인 횟수에 따라 짧은바늘을 알맞게 그려 넣고 민우가 줄넘기를 끝낸 시각은 몇 시인지 구해 보세요.

(**5시**)

✤ 2시에서 긴바늘이 두 바퀴 움직이면 짧은바늘은 숫자 2칸을 움직이므로 4시까지 점토 놀이를 했습니다.
4시에서 긴바늘이 한 바퀴 움직이면 짧은바늘은 숫자 1칸을 움직이므로 5시까지 줄넘기를 했습니다.

3 진주는 11시에 영화를 보기 시작하였습니다. 긴바늘이 두 바퀴 반을 움직이는 동안 영화를 보았다면 영화가 끝난 시각을 시계에 나타내어 보세요.

[영화가 시작한 시각]   [영화가 끝난 시각]

✤ 11시에서 긴바늘이 두 바퀴를 움직이면 짧은바늘이 숫자 2칸을 움직이므로 1시가 됩니다. 1시에서 긴바늘이 반 바퀴를 움직이면 긴바늘은 6을 가리키고 짧은바늘이 숫자 1과 2 사이에 있으므로 영화가 끝난 시각은 1시 30분입니다.

| 11시 | 긴바늘: 두 바퀴
짧은바늘: 숫자 2칸
(11 → 1) | 1시 | 긴바늘: 반 바퀴
짧은바늘: 1과 2 사이 | 1시 30분 |

5. 시계 보기와 규칙 찾기 · 87

유형 **6** 규칙에 따라 수 찾기 코딩

정답과 풀이 22쪽

1 규칙에 따라 수를 늘어놓을 때 10번째에 놓이는 수를 구하려고 합니다. 물음에 답하세요.

| 1 | 2 | 4 | 5 | 7 | 8 | ...... |

❶ 수의 규칙을 찾아 □ 안에 알맞은 수를 써넣으세요.

| 1 | 2 | 4 | 5 | 7 | 8 | ...... |

+1 +**2** +**1** +**2** +**1**

규칙 1부터 시작하여 더하는 수가 **1** 과 **2** 가 반복되는 규칙입니다.

❷ 규칙에 따라 빈 곳에 알맞은 수를 써넣으세요.

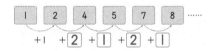

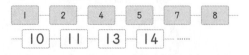

❸ 10번째에 놓이는 수를 구해 보세요.

(**14**)

88 · Jump 1-2

2 규칙에 따라 수 카드를 놓았습니다. 15번째에 놓이는 수를 구해 보세요.

| 2 | 1 | 5 | 2 | 1 | 5 | 2 | 1 | 5 | ...... |

(1) 규칙을 찾아 써 보세요.

규칙 **2** - **1** - **5** 가 반복되는 규칙입니다.

(2) 15번째에 놓이는 수를 구해 보세요.

(**5**)

✤ 2 - 1 - 5가 반복되므로 15번째에 놓이는 수는 세 번째에 놓이는 수와 같은 5입니다.

3 보기 와 같은 규칙에 따라 수를 놓을 때 ★에 알맞은 수를 구해 보세요.

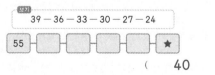

(**40**)

✤ 보기 는 3씩 작아지는 규칙이므로 55 - 52 - 49 - 46 - 43 - 40입니다.
따라서 ★에 알맞은 수는 40입니다.

5. 시계 보기와 규칙 찾기 · 89

사고력 종합 평가

1 유민이의 계획표입니다. 계획대로 한 일의 시각을 시계에 나타내어 보세요.

수영하기	숙제하기
4시 30분	7시 30분

✤ 수영은 4시 30분에 하였으므로 짧은바늘이 4와 5 사이에 있고, 긴바늘이 6을 가리키도록 나타냅니다.

2 시계를 다음과 같이 거울에 비추어 보았습니다. 시계가 나타내는 시각을 써 보세요.

(**2시 30분**)

✤ 짧은바늘이 2와 3 사이에 있고, 긴바늘이 6을 가리키므로 2시 30분입니다.

3 규칙에 따라 빈 곳에 알맞은 그림에 ○표 하세요.

(도넛, 우유, 콜라 그림)

✤ 도넛 — 우유 — 콜라가 반복되는 규칙이므로 빈 곳에 알맞은 그림은 우유입니다.

4 규칙에 따라 빈 곳에 알맞은 수를 써넣으세요.

2 — 6 — 10 — 14 — |8 — 22 — 26

✤ 2부터 시작하여 4씩 커지는 규칙입니다.

5 보기를 이용하여 규칙적인 무늬를 만들어 보세요.

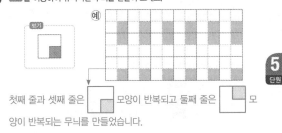

첫째 줄과 셋째 줄은 모양이 반복되고 둘째 줄은 모양이 반복되는 무늬를 만들었습니다.

6 규칙에 따라 색칠하고 색칠한 수에 있는 규칙을 찾아 써 보세요.

61	62	63	64	65	66	67	68	69	70
71	72	73	74	75	76	77	78	79	80
81	82	83	84	85	86	87	88	89	90

규칙 62부터 시작하여 **4** 씩 (작아지는 , (커지는)) 규칙입니다.

사고력 종합 평가

7 승기, 호준, 은아가 오늘 아침에 일어난 시각입니다. 일찍 일어난 사람부터 순서대로 이름을 써 보세요.

승기   호준   은아

(**은아, 승기, 호준**)

✤ 승기는 6시 30분, 호준이는 7시, 은아는 6시에 일어났습니다. 따라서 일찍 일어난 순서대로 쓰면 은아, 승기, 호준입니다.

8 규칙에 따라 시각을 시계에 나타내어 보세요.

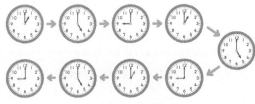

✤ |시 — 5시 — 9시가 반복되는 규칙입니다.

9 유진이는 ♩에 리듬 막대를 칩니다. 규칙에 맞게 악보를 완성했을 때 유진이는 리듬 막대를 몇 번 쳐야 할까요?

(**8번**)

✤ 규칙에 따라 악보를 완성하면 ♩는 8번 나오므로 유진이는 리듬 막대를 8번 쳐야 합니다.

10 시계의 짧은바늘과 긴바늘이 같은 숫자를 가리키는 시각을 시계에 나타내고 써 보세요.

(**|2시**)

✤ 짧은바늘과 긴바늘이 같은 숫자를 가리키는 시각은 짧은바늘과 긴바늘 모두 |2를 가리킬 때이므로 |2시입니다.

11 민지는 도서관에서 시계의 긴바늘이 한 바퀴 움직이는 동안 책을 읽었습니다. 책을 읽기 시작한 시각이 4시일 때 책을 읽고 난 후의 시각을 구해 보세요.

(**5시**)

✤ 4시에서 긴바늘이 한 바퀴 움직이면 짧은바늘은 숫자 |칸을 움직이므로 5를 가리킵니다. 따라서 민지가 책을 읽고 난 후의 시각은 5시입니다.

12 빈칸에 알맞은 모양과 같은 모양의 물건은 모두 몇 개인지 구해 보세요.

✤ △ — ○ — ○ 모양이 반복되므로 △, ○ 모양 다음에는 ○ 모양이 옵니다. 따라서 ○ 모양의 물건을 찾으면 동전, 시계로 모두 2개입니다.

(**2개**)

94쪽

13 규칙에 따라 색칠해 보세요.

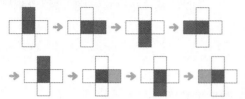

❖ 빨간색을 시계 방향으로 한 칸씩 옮겨 가며 색칠하는 규칙입니다.

14 세형이가 설명하는 시각을 써 보세요.

· 5시와 8시 사이의 시각입니다.
· 긴바늘이 숫자 12를 가리킵니다.
· 6시 30분보다 늦은 시각입니다.

(**7시**)

❖ 5시와 8시 사이의 시각 중에서 긴바늘이 12를 가리키는 시각은 '몇 시'이므로 6시와 7시입니다. 이 중에서 6시 30분보다 늦은 시각은 7시입니다.

15 규칙에 따라 수를 늘어놓았습니다. 10번째에 놓이는 수를 구해 보세요.

| 40 38 36 34 32 ······ |

(**22**)

❖ 40부터 시작하여 2씩 작아지는 규칙입니다. 따라서 40, 38, 36, 34, 32, 30, 28, 26, 24, 22이므로 10번째에 놓이는 수는 22입니다.

[GO! 매쓰]
여기까지 5단원 내용입니다.
다음부터는 6단원 내용이 시작합니다.

96쪽 ~ 97쪽

유형 ① 계산 결과의 크기 비교

창의 · 융합

1 진주, 예나, 호영이는 과녁 맞히기 놀이를 하였습니다. 점수를 가장 많이 얻은 사람을 알아보려고 합니다. 물음에 답하세요.

진주   예나   호영

❶ 진주는 몇 점을 얻었을까요?

(**12점**)

❖ 9+3=12(점)

❷ 예나는 몇 점을 얻었을까요?

(**16점**)

❖ 9+7=16(점)

❸ 호영이는 몇 점을 얻었을까요?

(**14점**)

❖ 7+7=14(점)

❹ 점수를 가장 많이 얻은 사람은 누구일까요?

(**예나**)

❖ 16>14>12이므로 점수를 가장 많이 얻은 사람은 예나입니다.

2 세호와 재석이가 바둑돌을 다음과 같이 가지고 있습니다. 양손에 가지고 있는 바둑돌 수가 더 적은 사람은 누구인지 구해 보세요.

세호   재석

(**세호**)

❖ (세호가 가지고 있는 바둑돌 수)=9+3=12(개)
(재석이가 가지고 있는 바둑돌 수)=7+6=13(개)
따라서 12<13이므로 양손에 가지고 있는 바둑돌 수가 더 적은 사람은 세호입니다.

3 두 모둠의 학생 수를 나타낸 표입니다. 어느 모둠이 몇 명 더 많은지 구해 보세요.

	남학생 수	여학생 수
가 모둠	5명	8명
나 모둠	7명	4명

(**가 모둠**), (**2명**)

❖ (가 모둠 학생 수)=5+8=13(명),
(나 모둠 학생 수)=7+4=11(명)
➔ 13>11이므로 가 모둠이 13-11=2(명) 더 많습니다.

6 단원

유형 ② 나타내는 수 구하기 추론

1 15명이 빨간색, 파란색, 노란색 보트 3곳에 모두 나누어 탔습니다. 각 보트에 탄 사람은 몇 명인지 구하려고 합니다. 물음에 답하세요.

❶ 🚤에 탄 사람 수를 구해 보세요.

(**3명**)

✤ □+□+□=9에서 3+3+3=9이므로 파란색 보트에 탄 사람은 3명입니다.

❷ 🚤에 탄 사람 수를 구해 보세요.

(**8명**)

✤ □+3=11에서 □는 11보다 3 작은 수이므로 □=11-3=8입니다.
➔ 빨간색 보트에 탄 사람은 8명입니다.

❸ 🚤에 탄 사람 수를 구해 보세요.

(**4명**)

✤ 8+3+□=15, 11+□=15에서 □는 15보다 11 작은 수이므로 □=15-11=4입니다.
➔ 노란색 보트에 탄 사람은 4명입니다.

98 · Jump 1-2

2 지은이는 가지고 있던 구슬을 빨간색, 파란색, 초록색 주머니 3곳에 모두 나누어 담았습니다. 빨간색 주머니에 구슬을 4개 넣었다면 지은이가 가지고 있던 구슬은 모두 몇 개인지 구해 보세요.

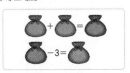

(1) 🛍에 들어 있는 구슬의 수를 구해 보세요.

(**8개**)

✤ 구슬이 빨간색 주머니에 4개 들어 있으므로 파란색 주머니에 들어 있는 구슬은 4+4=8(개)입니다.

(2) 🛍에 들어 있는 구슬의 수를 구해 보세요.

(**5개**)

✤ 파란색 주머니에 구슬이 8개 들어 있으므로 초록색 주머니에 들어 있는 구슬은 8-3=5(개)입니다.

(3) 지은이가 가지고 있던 구슬은 모두 몇 개인지 구해 보세요.

(**17개**)

✤ 빨간색 주머니: 4개, 파란색 주머니: 8개, 초록색 주머니: 5개
➔ (지은이가 가지고 있던 구슬의 수)
=4+8+5=12+5=17(개)

6. 덧셈과 뺄셈(3) · 99

유형 ③ 수 연결하기 문제 해결

1 두 수의 합이 가운데에 있는 행성의 수가 되도록 두 별을 짝지어 모두 연결하려고 합니다. 물음에 답하세요.

❶ 두 수의 합을 구해 보세요.

9+2=11 9+8=17 9+5=14
9+7=16 9+6=15 2+8=10
2+5=7 2+7=9 2+6=8
8+5=13 8+7=15 8+6=14
5+7=12 5+6=11 7+6=13

❷ 합이 14가 되는 두 수를 모두 찾아 쓰고 그림에 선으로 연결해 보세요.

(9 , 5), (8 , 6)

100 · Jump 1-2

2 두 수의 합이 ▨ 안의 수가 되도록 모두 연결해 보세요.

(1) 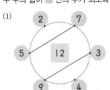 (2)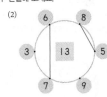

✤ (1) 5+7=12, 9+3=12
(2) 6+7=13, 8+5=13

3 시계에서 두 수의 합이 주어진 수가 되도록 모두 연결해 보세요.

(1) 11 (2) 15

✤ (1) 합이 11이 되는 두 수를 찾습니다.
10+1=11, 9+2=11, 8+3=11, 7+4=11, 6+5=11
(2) 합이 15가 되는 두 수를 찾습니다.
12+3=15, 11+4=15, 10+5=15, 9+6=15, 8+7=15

6. 덧셈과 뺄셈(3) · 101

유형 ④ □ 안에 알맞은 수 찾기 [코딩]

정답과 풀이 26쪽

1 □ 안에 알맞은 수를 구하여 미로를 통과하려고 합니다. 물음에 답하세요.

❶ 6+8=□에서 □ 안에 알맞은 수를 구해 보세요.

(14)

✤ 6+8=14 ➡ □=14

❷ □ 안에 알맞은 수를 구하여 미로를 통과해 보세요.

102 · Jump 1-2 ✤ 6+8=[14], 3+9=[12], 9+□=14 ➡ □는 14보다 9 작은 수이므로 □=14-9=5입니다.
12-□=8 ➡ □는 12보다 8 작은 수이므로 □=12-8=4입니다.

2 □ 안에 알맞은 수를 구하여 더 큰 수를 따라가면 영준이의 신발을 찾을 수 있다고 합니다. 영준이의 신발을 찾아 ○표 하세요.

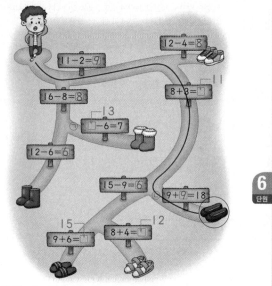

✤ ㉠ □-6=7 ➡ □는 7보다 6 큰 수이므로 □=7+6=13입니다.
㉡ 9+□=18 ➡ □는 18보다 9 작은 수이므로 □=18-9=9입니다.

6 단원

6. 덧셈과 뺄셈(3) · 103

유형 ⑤ 계산 규칙 찾기 [추론]

정답과 풀이 26쪽

1 [보기]와 같은 규칙으로 계산하여 빈 곳에 알맞은 수를 써넣으세요.

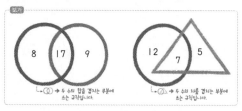

보기

✤ 두 수의 합을 겹치는 부분에 쓰는 규칙입니다.

✤ 두 수의 차를 겹치는 부분에 쓰는 규칙입니다.

❶

❷

✤ 두 수의 합을 겹치는 부분에 쓰는 규칙입니다.
➡ 7+6=13

✤ 두 수의 차를 겹치는 부분에 쓰는 규칙입니다.
➡ 11-4=7

❸

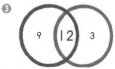

❹

✤ 9+3=12

✤ 16-7=9

104 · Jump 1-2

2 [보기]의 규칙에 따라 바구니에 알맞은 수를 써넣으세요.

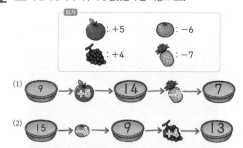

보기
🍎 : +5   🍊 : -6
🍇 : +4   🍍 : -7

(1) 9 → +5 → 14 → -7 → 7

(2) 15 → -6 → 9 → +4 → 13

✤ (1) 9+5=14, 14-7=7
(2) 15-6=9, 9+4=13

3 [보기]와 같은 규칙으로 계산하여 빈칸에 알맞은 수를 써넣으세요.

보기

	15			3	7	2
7	3	5			12	

(1)

	16	
8	6	2

(2)

9	5	4
	18	

✤ 옆으로 나란히 놓인 세 수의 합을 가운데에 있는 위 또는 아래의 칸에 쓰는 규칙입니다.

(1) 8+□+2=16 ➡ 10+□=16, □=6
(2) □+5+4=18 ➡ □+9=18, □=18-9=9

6 단원

6. 덧셈과 뺄셈(3) · 105

정답과 풀이 27쪽

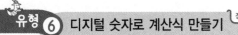

유형 6 디지털 숫자로 계산식 만들기 ⟨정보 처리⟩

1 디지털 숫자를 이용하여 덧셈식과 뺄셈식을 완성하려고 합니다. 물음에 답하세요.

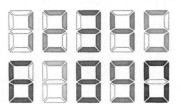

① 디지털 숫자를 이용하여 두 수의 합이 15가 되도록 색칠해 보세요.

(또는 9+6=15)　　　(또는 8+7=15)

② 디지털 숫자를 이용하여 두 수의 차가 6과 8이 되도록 색칠해 보세요.

✧ 15-□=6 ➡ □는 15보다 6 작은 수이므로
　　　　　　　　□=15-6, □=9입니다.
　 15-□=8 ➡ □는 15보다 8 작은 수이므로
　　　　　　　　□=15-8, □=7입니다.

106 · Jump 1-2

2 다음 중 합이 14가 되는 두 수를 찾아 디지털 숫자의 덧셈식으로 나타내어 보세요.

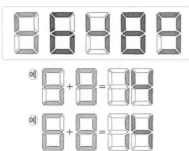

(예)

✧ 합이 14가 되는 덧셈식은 5+9=14(또는 9+5=14),
　6+8=14(또는 8+6=14)입니다.

3 다음 3개의 수 중 2개의 수를 골라 만들 수 있는 (몇)+(몇)의 계산 결과가 서로 다른 경우는 모두 몇 가지인지 구해 보세요.

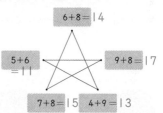

(**3가지**)

✧ 3+8=11(또는 8+3=11), 3+9=12(또는 9+3=12),
　8+9=17(또는 9+8=17)로
　(몇)+(몇)의 계산 결과가 서로 다른 경우는 11, 12, 17로 모두
　3가지입니다.

6. 덧셈과 뺄셈(3) · 107

정답과 풀이 27쪽

사고력 종합 평가

1 연결된 두 수의 합을 아래의 빈 곳에 써넣으세요.

✧ 4+3=7, 3+2=5, 7+5=12

2 합이 13이 되도록 두 수를 이어 보세요.

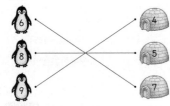

✧ 6+7=13, 8+5=13, 9+4=13

3 지우네 어머니께서 요리를 하실 때 오이 6개, 가지 5개, 고추 7개를 사용하셨습니다. 사용한 채소는 모두 몇 개인지 구해 보세요.

(**18개**)

✧ (사용한 채소의 수)=6+5+7=11+7=18(개)

108 · Jump 1-2

4 두 수의 합이 큰 것부터 순서대로 점을 이어 보세요.

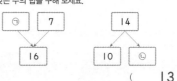

✧ 9+8=17, 7+8=15, 6+8=14, 4+9=13,
　5+6=11의 순서대로 점을 잇습니다.

5 ㉠과 ㉡에 알맞은 수의 합을 구해 보세요.

㉠	7
16	

14	
10	㉡

(**13**)

✧ • ㉠과 7을 모으기 하면 16이므로 ㉠은 9입니다.
　• 14를 10과 4로 가르기를 할 수 있으므로 ㉡은 4입니다.
　➡ ㉠+㉡=9+4=13

6 수지는 사탕이 15개 있었습니다. 언니에게 7개를 주고 몇 개를 먹었더니 사탕이 5개 남았습니다. 수지가 먹은 사탕은 몇 개일까요?

(**3개**)

✧ (언니에게 주고 남은 사탕의 수)=15-7=8(개)
　8개에서 몇 개를 먹고 5개가 남았으므로 수지가 먹은 사탕의 수는 8-5=3(개)입니다.

6. 덧셈과 뺄셈(3) · 109

정답과 풀이 28쪽

7 두 수의 합이 ■ 안의 수가 되도록 모두 연결해 보세요.

❖ 4+7=11, 9+2=11, 8+3=11

8 다음 중 합이 12가 되는 두 수를 찾아 디지털 숫자의 덧셈식으로 나타내어 보세요.

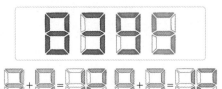

❖ 합이 12가 되는 덧셈식은 3+9=12와 9+3=12입니다.

9 연필과 색연필은 각각 몇 자루씩 통에 들어 있는지 구해 보세요.

+9=14 (**5자루**)

-□=6 (**11자루**)

❖ (연필의 수)+9=14 ➡ 연필의 수는 14보다 9 작은 수이므로 14-9=5(자루)입니다.

(색연필의 수)-5=6 ➡ 색연필의 수는 6보다 5 큰 수이므로 6+5=11(자루)입니다.

110 · Jump 1-2

10 □ 안에 알맞은 수가 적힌 곳을 차례로 지나 다람쥐의 먹이를 찾아가는 길을 그려 보세요.

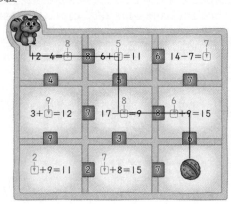

❖ (1) 7+3=10, 7+4=11, 7+6=13, 7+7=14, 7+8=15, 7+9=16도 정답입니다.

11 ○ 안에 3부터 9까지의 수 중에서 하나를 써넣고 덧셈식과 뺄셈식을 완성해 보세요.

(1) 예 7+⑤=12

(2) 예 12-⑥=6

(2) 12-3=9, 12-4=8, 12-5=7, 12-7=5, 12-8=4, 12-9=3도 정답입니다.

12 세 수의 계산은 앞에서부터 차례로 계산합니다. ○ 안에 +, -를 알맞게 써넣어 식이 성립하도록 완성해 보세요.

(1) 9⊕4⊖7=6

(2) 14⊖6⊕8=16

❖ (1) 9+4-7=13-7=6

(2) 14-6+8=8+8=16

6. 덧셈과 뺄셈(3) · 111

112쪽

정답과 풀이 28쪽

13 보기 와 같이 어떤 수를 넣으면 넣은 수보다 얼마만큼 더 작은 수가 깨진 곳으로 나오는 항아리가 있습니다. 14를 항아리에 넣으면 어떤 수가 나오는지 구해 보세요.

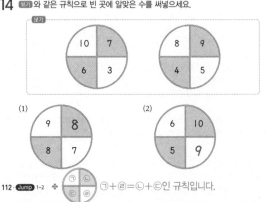

❖ 9를 넣어 3이 나왔으므로 9-3=6만큼 (**8**) 더 작은 수가 나오는 규칙입니다. 따라서 14를 넣으면 14보다 6만큼 더 작은 14-6=8이 나옵니다.

14 보기 와 같은 규칙으로 빈 곳에 알맞은 수를 써넣으세요.

보기

| 10 | 7 |
| 6 | 3 |

| 8 | 9 |
| 4 | 5 |

(1)

| 9 | **8** |
| 8 | 7 |

(2)

| 6 | 10 |
| 5 | **9** |

112 · Jump 1-2

❖ ㉠+㉣=㉡+㉢인 규칙입니다.

(1) 9+7=16이므로 8+□=16입니다. ➡ □는 16보다 8 작은 수이므로 □=16-8=8입니다.

(2) 10+5=15이므로 6+□=15입니다. ➡ □는 15보다 6 작은 수이므로 □=15-6=9입니다.

[GO! 매쓰] 수고하셨습니다.

누구나
쉽고 재미있게
시작하는

노크
시리즈

사고력 수학 노크(총 40권)

PA단계(8권)	**A단계**(8권)	**B단계**(8권)	**C단계**(8권)	**D단계**(8권)
7~8세 권장	8~9세 권장	9~10세 권장	10~11세 권장	11~12세 권장

영역별 구성

창의력과 **사고력**이
쑥쑥 자라는 수학 전문서

 실생활 소재로 수학의 흥미와 관심 UP!

 다양한 유형의 창의력 문제 수록

 융합적 사고력을 높여주는 구성

 초등 수학과 연계

수학 1-2

정답과 풀이

Jump

유형 사고력

Run

교과서 사고력

Start

교과서 개념